Составитель МАРТА КЕТРО

Издательская группа АСТ
представляет книги
МАРТЫ КЕТРО

ОДНА ЖЕНЩИНА, ОДИН МУЖЧИНА

Составитель МАРТА КЕТРО

АСТ
Москва

УДК 821.161.1
ББК 84(2Рос=Рус)6
П39

Серия «*Легенда русского Интернета*»

Подписано в печать 12.02. 2013 г. Формат 84х108 1/32.
Усл. печ. л. 16,80. Тираж 5000 экз. Заказ № 1544.

Общероссийский классификатор продукции
ОК-005-93, том 2; 953000 — книги, брошюры

*В оформлении использована иллюстрация Елены Визерской
Дизайн переплета — Василий Половцев*

Кетро, Марта

П39   Одна женщина, один мужчина: [сборник рассказов] / сост.
Марта Кетро. — Москва: АСТ, 2013. — 317, [3] с. — (Легенда
русского Интернета)

ISBN 978-5-17-077670-2

«Одна женщина, Один мужчина...» — сборник кротких ироничных
историй о любви, о нелепых и не очень лестных ситуациях, в которые по-
падает каждый человек. Никто не проживёт, не совершив глупостей и
ошибок на любовном фронте, но такие вещи рассказывать о себе неловко,
поэтому в роли главных героев часто фигурируют «подруги», «знакомые»
или просто «одна женщина», «один мужчина».

В книгу вошли работы двадцати талантливых и популярных авторов,
которые с большой добротой относятся к своим персонажам. Счастье, ут-
верждают они, есть, просто иногда встречается там, где его никогда не думали искать.

УДК 821.161.1
ББК 84(2Рос=Рус)6

Однажды мы с подругой придумали цикл историй о напрасном женском ожидании. Примеры были взяты частью из собственного опыта, частью — из рассказов друзей. Выдавать чужие секреты мы не могли, поэтому решили: в текстах будут фигурировать Одна Женщина и Один Мужчина, чтобы никому не было обидно. Так родилась идея этого сборника, и когда я попросила знакомых написать для него, основным условием было «жизненно и про любовь». Пожалуйста, никаких инопланетян, сказала я.

Разумеется, меня не послушали, инопланетяне тут есть, видимо, такова реальность некоторых авторов. Но в целом всё здесь — правда, почти каждый из нас оказывался в похожих ситуациях или наблюдал их вблизи. И я хотела весёлую книжку, но совсем без печали не получилось. Всё равно выходит, что счастье есть, просто иногда встречается там, где никогда не думали его искать.

МАРТА КЕТРО

Мороженая рыбка

Одна Девушка лет двадцати переживала необыкновенно счастливый роман со взрослым — страшно сказать, тридцатипятилетним, — мужчиной. Он был необременительно женат, любил семью, девушку тоже любил, но его большое прекрасное сердце по этому поводу совсем не терзалось — было время и место для встреч, а что ещё надо для любви? Съёмная квартирка на окраине стала приютом, островом, небесным шалашом, куда девушка каждый раз прилетала — с другой московской окраины. С учётом двух пересадок и пары маршруток полёт занимал два часа, то есть очень быстро, если всё время представлять, как ты сейчас войдёшь, на пороге уронишь шубку, потом потеряешь платье, а потом голову. Любимый начинал ещё в коридоре, и она прижималась щекой к белой шершавой стене — если не ошибаюсь, это называется «фактурные обои», но девушка точно о них не думала, а только чувствовала, как они холодят и царапают кожу. Потом они оказывались в постели, и она видела свои узкие белые ступни, которые он удерживал одной рукой на весу — вообще-то, как пленную курицу, но это, конечно, глупое сравнение. И ещё потом она лежала носом в подушку, сжимала ноги, вытягивалась в струнку, рыбкой — а он её всё любил и любил. Он её вообще хорошо и крепко любил, но ей хотелось другого. Нет, не на коленках. Ей хотелось, чтобы он любил её по-настоящему, по-человечески, чтобы как у людей и жениться, и только смерть разлучила бы их. И ради этой любви она раз или даже дважды в неделю надевала чулки, платье, шубку и сапоги и ехала на их благословенную окраину, где никогда не заходит солнце.

Вам сейчас покажется, что я чего-то не договариваю, — как же так, спросите вы, отчего же ты называешь только шубку, платье, чулки и сапоги, минуя прочие женские вещи — лифчик, трусы с начёсом, шапочку и варежки, ведь холодно же, как же так?

А так, отвечу я вам, а так — ведь любимый начинал ещё в коридоре, а девушка хотела, чтобы ему было удобно, чтобы он чувствовал, как близко под шубкой у неё сердце, и как вошла, сразу — вот, вот она вся. Вот горячая голая грудь в шерстинках от пушистого вязаного платья, живот, попа холодная, красные коленки в примёрзшем капроне, вот другое всякое — только люби.

И он, правда, очень её любил, не придраться. Чем меньше на ней было одежды, тем крепче, её мороженые коленки и тайные доступные места заводили его до невозможности, и он иногда понимал, что так и помереть недолго на ней, на бесстыднице. Каждый раз она думала, что сейчас он уже не сможет из неё выйти и останется навсегда, а он думал, что, наверное, сдохнет, но хорошо-то как, господи. И любовь их всё росла, росла с самой ясной осени до тёмной зимы, весь октябрь, ноябрь и декабрь. И бог её любил тоже, подгадывая с погодой, чтобы жар её тела не успевал остыть, пока бежит от дома до маршрутки и метро, а потом от метро и маршрутки до дома — их единственного настоящего дома, который они как-то у судьбы выпросили или украли.

А потом он, бог, то ли устал, то ли просто отвлёкся, но настал январь и минус двадцать, а девушка всё бегала и бегала, и вся была огонь, под её ногами снег таял и распускались цветы — крокусы.

Но однажды утром она не смогла встать, потому что у неё отвалилось ползада. Это из анекдота — на самом деле в её спину, узкую спинку с прелестным прогибом, пушком и ямками над ягодицами, внезапно вонзили раскалённый стальной прут (примерно 8 мм, ГОСТ 2590-88). И боль от этого оказалась страшной — но всё же не горше, чем когда они разъезжались после любви. И она её почти не замечала и плакала три дня вовсе не поэтому.

Потом девушка поправилась, и что случилось дальше, мне неизвестно.

Но я, конечно, уверена, что у них всё сложилось хорошо. А как же иначе?

Маска

Одна Женщина, ужасно деловая для своих тридцати пяти, вступила в романтическую связь с не менее деловым мужчиной. Время от времени они перекраивали расписания так, чтобы освободить четыре часа и поехать вместе в кино. Там они смотрели комедии и лопали попкорн, как подростки. Или шли в парк и подолгу гуляли, изредка осторожно целуясь под фонарями. А в другие дни ходили в ресторан и чинно ели утиную грудку под инжиром. Кое-кто скажет — удавиться от тоски, но Одним Женщинам часто хочется странного. Эта была полностью довольна ситуацией и ценила своего знакомца больше, чем постоянных любовников, на которых времени хватало не всегда, а на него — пожалуйста.

Единственный пустяк осложнял её жизнь.

Не реже, чем дважды в неделю, мужчина звонил утром и ласково сообщал, что у него появилось окно, и не встретиться ли им, когда такое дело? Она, даже если была занята, сразу отвечала «да» — потому что у них сложились эксклюзивные отношения, которые не с каждым и нечасто. Она всякий раз готовилась — не бежала к косметологу, как перед важными переговорами (работа дамочки была из модной глянцевой сферы, где внешность имеет значение), но всё же ближе к моменту X делала маску. Такие, знаете, одноразовые маски, с какой-нибудь плацентой овцы, буквально пять баксов за пакетик, а эффект обеспечен часа на три — именно на тот сложный период, когда (и если!) придётся целоваться под фонарём при самом невыгодном освещении.

И она лежала двадцать минут с этой подсыхающей штукой на физиономии, представляя себе вечер и тихонько улыбаясь («а я ему скажу... а он мне... а я ему, а он, а он...»), потом раскрашивала посвежевшее лицо, одевалась, набирала заветный номер, пару минут слушала, вежливо отвечала «ничего страшного» и вешала трубку. Потому что внезапно — по экстренным, конечно, причинам — менялись планы. И случалось это примерно в трёх случаях из пяти. Из месяца в месяц.

Дело было зимой, и к марту у этой женщины стала очень хорошая кожа, но нервы ни к чёрту. Она звонила подруге и дрожащим голосом рассказывала, что он опять, а она из-за него свиданку отменила — настоящую свиданку, с сексом! — и уже три недели, как дурочка без подарка, потому что все свободные вечера он бронирует, да не использует.

— Но, понимаешь, у нас настоящая особенная дружба! Если бы мы просто спали, я бы уже давно сказала, что у меня его необязательность во где сидит. А так — нет, не могу, не те отношения. И он же не требует освобождать вечер, просто спрашивает, я сама соглашаюсь, сама и виновата...

В конце концов, подруге надоело слушать однообразные причитания с неизменным рефреном «а я уже маску сделала!» — почему-то именно этот факт превращал обычную приятельскую встречу в тщательно подготовленное Мероприятие, — и она попросила женщину в следующий раз перезвонить не раньше, чем они уже переспят и начнут нормально договариваться.

С тех пор та больше не объявлялась.

Но я, конечно, уверена, что у них всё стало хорошо. А как же иначе?

Молескин

Одна Женщина очень любила свою работу... тут я задумалась, не та ли это Одна Женщина, что и в предыдущей истории? Пожалуй, нет, та в модном глянце, а эта самостоятельная — и более незащищенная, работающая по договорам, а не сидящая на окладе.

И эта женщина познакомилась с неким человеком, о котором много слышала как о профи в смежной области. У него было туристическое агентство, а она писала о путешествиях для специализированных журналов и всё время искала идеи. И чаще всего именно его компания предлагала самые интересные поездки, но женщине всё как-то не удавалось с ним подружиться. И вдруг.

Обменялись визитками, и буквально через пару дней он позвонил и пожелал встретиться, обсудить одну мысль, «которая, возможно, её удивит». И добавил, что задаст не совсем приличный вопрос.

Боже, как она ликовала. Только усилием воли сдержалась и не сказала «завтра!», а договорилась на конец недели. Она предпочитала получать деловые предложения по электронной почте — так проще сохранять информацию, — но понимала значение личной беседы, да и вообще, так давно думала об этом контакте, что не до капризов.

Остаток времени она мечтала. Ну да, как другие женщины мечтают о свиданиях, она грезила о работе — вот он предложит ей написать о сафари... или нет, это слишком просто для их агентства. Участие в археологических раскопках? Паломничество в Тибет? Экстремальная высадка на острова? Она листала профессиональные рассылки, пытаясь сообразить, какие направления сейчас раскручиваются и зачем она всё-таки понадобилась этой компании, где и без того хорошо с рекламой. Но всё-таки конец года, спешное освоение остатков бюджета, планы на новый — мало ли какой шанс. Ведь «неприличный вопрос» наверняка про деньги! Когда речь заходила о серьёзных проектах, потенциальные партнёры не раз пытались выяснить её «финансовые ожидания», не называя своих цифр, потому что осторожничали и прикидывали, как бы не переплатить, но и не спугнуть скупостью. Это была обычная, но увлекательная игра.

Наступил тот самый день.

Она нарядилась очень тщательно, надела вещи, сообщающие миру о её креативности, мобильности, открытости для всего нового — и о деловой надёжности при этом. (Тут нужно её извинить, потому что творческое всё-таки существо, которое всерьёз верит, что можно «правильно одеться», «правильно построить беседу» и «произвести впечатление».)

Вечером явилась точно в срок, а мужчина уже ждал, попивая аперитив.

Она старалась не показать волнения, но всё равно совершила ряд быстрых действий, которые выдавали с головой: села, достала из сумочки молескин и скромную хромированную ручку cross, футляр для очков и айфон. Вызвала на экране календарь, нацепила на нос очки и открыла блокнот:

— Страшно рада, что вы позвонили! Мне очень интересно то, чем вы занимаетесь. У меня сейчас плохо со временем, но я посмотрю, что можно выгадать. Только должна сразу предупредить: все цифры и сроки мне лучше присылать на мейл. Я, конечно, запишу, но потом дублируйте в почту, пожалуйста, — и выжидательно посмотрела сквозь простые стёкла.

У него было крайне сложное выражение лица.

Не знаю, может, он неправильно истолковал её профессиональное восхищение или вообще был самоуверенным типом, привыкшим сразу брать быка за яйца, но его «идея» касалась вовсе не работы, о чём он тут же и сказал. Он хотел всего лишь с ней переспать.

Вы-то наверное и раньше догадались, а она — нет, для неё это было немного слишком внезапно.

Женщина ещё несколько мгновений тупо смотрела в календарь, автоматически высчитывая, когда у неё будет время на «этот проект». Потом выключила айфон. Захлопнула молескин и убрала в сумку. Сняла очки и опять посмотрела на мужчину — с не менее сложным лицом.

Её охватило непередаваемое изумление из-за собственной недогадливости, а потом стало смешно, когда вспомнила, какие строила планы на этот разговор. И самую малость обидно.

Что случилось дальше, мне неизвестно.

Но я, конечно, уверена, что у них всё сложилось хорошо. А как же иначе?

НАРИНЭ АБГАРЯН
Татьяна

Бывают такие женщины, вроде чужой человек, а с первого взгляда создается впечатление, что знаете ее уже давно, практически целую вечность, и вся подноготная ее жития-бытия — с шелушащейся кожей на ладонях, аллергией к антибиотикам и выматывающими приступами мигрени — не составляет для вас никакой тайны.

Татьяна принадлежит к подобному типу людей. Этакая девушка с лицом средневековой благородной дамы — большой чистый лоб, высокие надбровные дуги, золотистые глаза — вроде такая красота, но тут же, досадным контрастом — маленький безвольный рот, упавшие уголки губ, унылый цвет лица.

А ведь она еще молода, и эта неуместная скорбь на ее лице, словно бы свидетельствующая о многочисленных тяготах, как то: о муже-неудачнике, ленивом, недалеком, обязательно пьющем; о свекрови-карге, в пику стиральной машинке кипятящей белье в хлопьях хозяйственного мыла, — ужасная вонь этого варева въелась во все углы квартиры, и ничем ее уже не перебить; о двух детях, часто болеющих, крикливых, беспокойных, — вся эта беспросветная жизнь жены мужа-алкоголика и матери двух малолетних детей как будто нависла над ней дамокловым мечом, отметив печатью скорби ее молодое и, в общем-то, милое лицо.

На самом деле все совсем не так, Татьяна давно и беспросветно не замужем, с того самого дня, когда жених Славик, аккуратно прикрыв за собой дверь, ушел к другой, невообразимо прекрасной — чуть раскосые миндалевидные глаза, трогательно выпирающие ключицы, тонкие кисти рук. На фоне разлучницы Татьяна выглядела абсолютной квашней — слишком обильная, слишком восторженная, слишком преданная. Слишком своя.

Зла на бывшего жениха она не держала, даже скинула в день бракосочетания сдержанное поздравление: «Будьте счастливы. Всегда». Ответить молодожен не удосужился, может, закрутился и забыл, а может, просто не заметил сообщения. Прошли четыре долгих, ничем не примечательных года. Татьяна провела их словно в тумане — как-то жила, что-то ела, где-то работала. Осень, зима, весна, лето, снова осень, снова зима.

А потом настал день, когда она выдохнула, вынырнула из убаюкивающей круговерти, оглянулась — и остро заскучала по нормальной жизни. Чтобы муж, дети, дом. Семья. Опыт предыдущих отношений ничего радостного не сулил, да и надеяться было не на кого — хороших мужиков уже разобрали, а нехороших нам и задаром не надо, поэтому наша героиня, после недолгих, но бурных размышлений, решила действовать.

И вот однажды вошла Татьяна в троллейбус, прямая и безразличная, погруженная в свои мысли, села к окошку — курточка болотного оттенка с неприлично свалявшимся енотовым воротом, леггинсы, откровенно обтягивающие круглые колени и уже обвисший крупноватый зад, сумка с аляповатой облупленной застежкой, и — но! — нежно-василькового цвета кашемировая кофта, единственная вещь в гардеробе, которую не стыдно надеть. Татьяна бережно стирала ее в теплой воде, обязательно детским шампунем, заворачивала в полотенце, чтобы убрать лишнюю влагу, а потом раскладывала на кухонном столе — сушиться на сквозняке. Кофту эту она приобрела на распродаже, за какие-то смешные деньги, и теперь носилась с ней по квартире, от ванной к окну, от окна к шкафу, обкладывала лавандой, чтобы моль не попортила, и надевала в исключительных случаях — когда нужно было выглядеть хотя бы относительно достойно. Такая вот унылая, набившая оскомину «невыносимая легкость бытия», к которой приговорены миллионы женщин во всем мире, а в данном конкретном случае наша Татьяна, невольное олицетворение образа многострадальных жен. Большая, бесформенная, наивная и немного инфантильная, но добрая Татьяна, отзывчивая и преданная — до зубовного скрежета мужа, маячившего где-то впереди, пьющего и неопрятного, с могучим храпом по ночам, и это в маленькой двухкомнатной квартире с окнами на Коровинское, допустим, шоссе. Тут же свекровь, выжившая из ума восьмидесятилетняя карга, наотрез отказавшаяся помогать с внуками, — питается отдельно, оберегает свою еду как зеницу ока, вплоть до замеров линейкой уровня супа в кастрюле.

И наша Татьяна, каким-то лишь ей ведомым образом вычислив беспросветность своего будущего, надела упомянутую выше холимую и лелеемую кофту, заняла у подруги две тысячи рублей и поехала к Антонине Всезнающей, ясновидящей и целительнице, обещающей за один сеанс белой магии счастье, любовь, удачу и другие завлекательные блага. Ехала она не без чувства легкого смущения и тревоги, но почему-то в твердой уверенности, что визит к гадалке не пройдет даром и отвадит ну хотя бы свекровь: пусть умрет за полгода до их встречи с суженым, тот будет в отчаянии от горя, уйдет в глухой запой, но Татьяна его спасет, окружит заботой и нежностью, и любовь сотворит чудеса, он бросит пить, откроет свое небольшое, но прибыльное дело, со временем они обменяют квартиру на дом за чертой города, подальше от грязи и смога, она разобьёт во дворе цветник... Тут же возникает проект маленькой теплицы, свои огурчики и помидоры, далее — две-три яблоньки, всенепременно антоновка, хотя можно и гольден, только приживется ли на наших широтах гольден, вот в чем вопрос. Работа на хозяйстве Татьяну не пугала, она сможет справиться и с домом, и с детьми, и мужа будет вечерами ждать из города с горячим ужином — пироги, котлеты, наваристые супы — безумная вкуснотища, хотя откуда продукты брать на такую вкуснотищу, в магазине одно генномодифицированное добро, может, поросят и кур в придачу к яблоням завести? Подумала — и оставила на потом взвесить все за и против, и потянет ли она такое хозяйство — муж-дети-цветник-собака-кошка, какая же семья без собаки и кошки, собака будет дом стеречь, а кошка спать в ногах, свернувшись пушистым калачиком!

Итак, она звалась Татьяной, девушка с приятным потоком мыслей на пороге больших перемен, в кошельке у нее три тысячи рублей — тысяча своих и две тысячи подругиных, и едет она к ясновидящей Антонине с непоколебимым намерением выпросить формулу своего счастья и в тайной надежде, что все будет именно так, как она захочет.

Вчера бодрый мужской голос в телефонной трубке, представившись ассистентом ясновидящей, сообщил, что все расписано на месяц вперед, но он попробует найти для Татьяны окно, пусть она оставит ему свой номер, он перезвонит. Татьяна испугалась, что на звонок может ответить вечно недовольная мать, поэтому обещала перезвонить сама. В итоге ее треволнения бы-

ли увенчаны радостным известием, что одна из клиен-
ток перенесла визит по причине болезни, и Татьяне надо явиться завтра в девять ноль-ноль по адресу улица
такая-то, строение сорок восемь, шестой этаж, офис
двадцать два. И наша героиня собралась и едет по хо-
лодному осеннему городу навстречу яркой и счастливой
судьбе, мысленно благословляя провидение и женщину, так кстати заболевшую.

Строение сорок восемь оказалось типовой 23-этаж-
ной высоткой, фасон П-44-Т, оранжевый фасад, белые блоки балконов. На подъездной двери мигал красным зрачок неприступного домофона. Татьяна полезла
в сумку, чтобы позвонить и уточнить код, но не нашла
телефон — забыла его дома. Не успела она расстро-
иться, как дверь распахнулась и выпустила пожилого
мужчину в длинном легком плаще и почему-то ушанке.

— Ой, как вы кстати! — обрадовалась Татьяна,
юркнула в подъезд и только там сообразила, что это
обыкновенный жилой дом и ни о каком офисе не может
быть речи. Здесь, конечно же, надо было повернуться
и уйти прочь, но какая-то сила влекла ее вперед, может,
простое женское любопытство, а может наивность,
граничащая с глупостью, тоже простая и тоже, кстати,
сугубо женская. Не в силах противостоять этой маня-
щей силе, Татьяна вызвала лифт, поднялась на шестой
этаж и уткнулась носом в обитую коричневым дермати-
ном дверь. В том, что ей именно сюда, не было никаких
сомнений — дверь была вся из себя многозначитель-

ная, в наклейках из зодиакальных знаков, с огромной, буквально угрожающих размеров подковой на макушке. Вывеска под подковой гласила: «Добро пожаловать в пристань ваших надежд».

Татьяна несколько раз перечитала вывеску, просипела «вот оно», прочистила горло и произнесла еще раз, громче: «Вот оно!», потом расстегнула куртку, выставив на всеобщее обозрение нежно-васильковую кофту, распустила волосы и позвонила.

Первой откликнулась собака, подскочила с той стороны двери, сердито закопошилась и залилась визгливым лаем. Татьяна прождала с минуту и позвонила еще раз. Послышалась возня, лай собаки удалился и стал глуше, и только потом дверь отворилась.

В проеме возникло заспанное одутловатое лицо мужчины — след от подушки на щеке, всклокоченные патлы, щетина. Неестественно длинные лямки майки растянуты чуть ли не до пупа, на босых ногах тапки с кокетливым помпончиком. Мужчина явно не стеснялся затрапезного вида. Он громко зевнул — раз, еще раз, пригладил спутанные лохмы. У Татьяны нехорошо сжалось сердце, в голове мелькнула одинокая, но на удивление трезвая мысль — влипла. Следом возникла другая, рациональная — надо уходить. Она собралась уже нажать на кнопку лифта, но тут хозяин подал голос:

— Вы по записи?

— Да.

— Проходите, сейчас Антонина Всевидящая примет вас.

— Всезнающая,— пискнула Татьяна.

— А я так и сказал, — не моргнул глазом мужчина и распахнул пошире дверь,— проходите.

Исполненным достоинства жестом, подразумевающим гостеприимство, он указал в глубь квартиры. От растерянности Татьяна совершенно прекратила соображать. Вместо того чтобы спастись бегством, позвать на помощь или на худой конец хлопнуться в обморок, она покорно вползла внутрь. Мужчина быстро запер дверь и спрятал ключи в карман. Татьяна уставилась на него, пытаясь по выражению лица вычислить намерения. Выражение лица было явно с бодуна, и намерения были ему под стать — опохмелиться как можно скорее.

— Деньги при себе? — прохрипел мужчина.

— Мы-е... — промычала Татьяна.

Истолковав ее мычание в свою пользу, ассистент заметно оживился.

— Сейчас она вас примет, сейчас.— Он скрылся в другой комнате, крикнув на ходу:— Вы пока раздевайтесь!

В ванной скреблась собака. Ее жалобный вой мешал сконцентрироваться. Татьяна подергала входную дверь за ручку. Бесполезно, без ключа не отпереть. И тут до Татьяны наконец дошел весь ужас положения — никто из близких не в курсе, куда она поехала, матери соврала, что к подруге, подруге — что за покупками, а на самом деле она в чужой квартире и путь к отступлению закрыт навсегда и бесповоротно. Вот сейчас из спальни вывалятся пьяные мужики, в лучшем случае сразу же перережут ей горло, выкинут тело на помойку и пойдут догуливать на ее деньги, а она будет лежать под открытым небом, холодная и безучастная, истекающая последними каплями крови.

Мрачные размышления прервал яростный крик: «Отстань!» Голос был явно женский, и это немного успокоило Татьяну, впрочем, ненадолго, потому что следом заорал мужчина: «Убью, сука, вставай, к тебе пришли!», и в ответ визг: «Пошел ты на хер, ублюдок!!!»

Татьяна прислушивалась к перебранке, мысли хаотично толкались в голове. Пустые, несвоевременные, дурацкие мысли о том, кто же Ленке долг вернет и что будет с мамой, в ушах стоял пронзительный звон, и все происходящее казалось каким-то недоразумением, ошибкой природы, проделками бермудского треугольника и неизвестно еще чем. «Вот как оно с нами бывает», — прошептала она, подразумевая тысячи замученных маньяками женщин и себя причисляя к их скорбному сонму.

Татьяна огляделась. Маленькая, слабо освещенная прихожая была увешана иконами и распятиями, на стенах красовались плакаты с непонятными символами. Интерьер немного ее успокоил. «В конце концов, меня бы давно убили, если это было бы в их планах», — подбадривала себя она. Но тут из спальни снова донесся шум. «Дай выпить!» — заорала женщина, по всей видимости, Антонина Всезнающая, на что мужчина возмущенно прохрипел: «Бля, вчера выдула весь пузырь, а теперь выпить ей подавай!.. Лучше обслужи человека, и будет на что выпить!»

Следом он вынырнул из спальни и, расплывшись в широкой улыбке, отрапортовал: «Не скучайте, госпожа сейчас будет». Татьяна улыбнулась в ответ, вовремя сообразив, что правильнее подыграть ассистенту, пусть он думает, будто все нормально, все в порядке вещей, и именно за этим она чесала в раннее воскресное утро семь остановок на троллейбусе и три — на маршрутке.

Тут появилась госпожа собственной персоной, во всей необузданной красе — заплывшая физиономия, потекший позавчерашний макияж, нечесаный клок волос надо лбом. Целительница окинула Татьяну быстрым оценивающим взглядом и, сделав свои, неутешительные о ней выводы, важно кивнула. Кивок получился несколько странным, будто лошадь мотнула головой: нелепый и неуместный кивок лошади с одутловатым лицом алкоголички. Татьяна подумала, что у хозяйки в придачу к алкоголизму должна быть какая-то нехорошая болезнь. Сифилис, например, или гонорея. И грязь под ногтями.

— Проходите в процедурную, я сейчас буду, — скрипнула Антонина Всезнающая.

— Нет-нет, спасибо,— замахала руками Татьяна, — я лучше здесь подожду.

— Ну-ну,— изрекла ясновидящая лошадь и, неопределенно хмыкнув, скрылась в спальне.

Тем временем ассистент выпустил из ванной собачку, этакую моську, худющую и кудрявую. Обиженно тявкнув, та кинулась к выходу и замерла, уткнувшись крохотной мордочкой в щель между косяком и дверью. «Сейчас он поведет ее выгули...» — В голове забрезжила мысль о спасении, и Татьяна принялась лихорадочно соображать, как все провернуть, не вызвав подозрений. Ассистент тем временем натянул куртку, бесцеремонно подвинул рукой клиентку и пошел вразвалочку к двери. «Можно выскочить следом», — решила Татьяна, но отмела эту идею — в прихожей могла завязаться потасовка, из спальни на подмогу подтянулась бы Антонина, и все бы закончилось в лучшем случае битьем Татьяниной морды, а в худшем — помойкой и перерезанным горлом. Если первый вариант Татьяну просто пугал, то второй не устраивал в принципе. Она громко сглотнула, села на корточки и потрепала собачку за ухом.

— Надо же, у меня точно такая же,— солгала она.

— Жрет как прорва,— недовольно отозвался ассистент, доставая из кармана ключи,— что же ты в прихожей стоишь, проходи в комнату, госпожа... это... приводит себя в порядок.

Татьяна вперилась в связку ключей. Моргнула несколько раз.

Наринэ Абгарян

— Хотите, я с собачкой погуляю, пока Антонина Всезнающая готовится к сеансу?

Мужчина удивленно на нее уставился. Она попыталась напустить на себя беспечный вид:

— Я забыла купить сигареты, могу заодно и собаку вывести.

— Ну что ты, я сам, — ответил ассистент, — дай лучше денег на сигареты, я тебе принесу. И на пиво заодно одолжи, сочтемся.

И протянул руку. Ладонь у него была большая, мозолистая, вся в наколках. Татьяна читала в «Аргументах и фактах», что татуировки делают себе заключенные в исправительных колониях. Ее мгновенно прошиб пот. Сейчас этот бывший зэк придушит ее своими крепкими мозолистыми руками и преспокойненько уйдет гулять с собакой. Заодно и пивка попьет. За ее счет. Татьяна собрала волю в кулак.

— На улице очень холодно, а вы в тапках на босу ногу, — она всем своим видом выказывала заботу,— давайте лучше я схожу, и с собачкой погуляю, мне не сложно, и пивка как раз вам прихвачу.

Мужчина обнажил в хитроватой улыбке прокуренные зубы:

— А что, если ты не вернешься?

— Ну как вы можете такое говорить?! — возмутилась Татьяна.— Я ведь попала к вам, можно сказать, по счастливому стечению обстоятельств. Не отмени вчера другая клиентка визит, мне пришлось бы целый месяц ждать!

«А была ли вообще эта клиентка, или я одна такая дура?» — подумала она, но быстро одернула себя — не время для самокопания, нужно ковать железо, пока горячо.

Она полезла в сумку, достала из кошелька сто рублей:

— Я могу вам залог оставить.

— Годится!

Мужчина забрал розовую бумажку, долго гремел связкой ключей и наконец отпер дверь. Собака вылетела за порог и понеслась вниз по ступенькам, заливаясь счастливым лаем. Татьяна выскочила на вожделенную лестничную клетку, счастливо выдохнула:.

— Я мигом!

Она старалась не шибко бегать глазами, застегивая куртку.

— Вам чего взять?

— Ларек буквально за углом, с торца. Возьми нам по бутылке, нет, лучше по две пивка и пачку «Явы». Золотой.

— Хорошо! — Она нажала на кнопку лифта, но испугалась, что ассистент передумает, и ринулась вниз по лестнице, перепрыгивая через две ступеньки, рискуя упасть и свернуть себе шею.

Собака, сдерживаясь из последних сил, ждала у подъездной двери. Татьяна выпустила ее на свободу и несколько секунд наблюдала, как та выписывает немыслимые пируэты, вся в безудержном восторге от ветра и холодного воскресного утра, задирает лапу под одним деревом, присаживается под другим, а потом нарезает круги по двору, периодически притормаживая, чтобы обнюхать какую-то очередную, но бесспорно важную, чепуху. Татьяна подумала, что они сейчас очень похожи — обе наконец-то вырвались из плена и ничего, кроме радостного облегчения, не испытывают.

Она пошла сначала шагом, потом, когда скрылась за углом — бегом, прочь от страшного дома, подальше от этих ужасных людей. Собака с ликующим лаем увязалась за ней, решив, что это такая забавная игра в догонялки. Татьяна резвым галопом добралась до остановки, обрадовалась толпе. Закашлялась, долго рылась в сумке в поисках платка, не нашла, утерла выступившие слезы тыльной стороной ладони. Присела на корточки, заглянула собаке в глаза:

— Тебя как зовут?

Та радостно завиляла хвостом.

— Сейчас мы домой поедем, — пообещала Татьяна,— и все у нас будет хорошо.

И вот идет наша Татьяна по улице, такая уже дама и уже с собачкой, эволюция от Пушкина к Чехову. Большая, нелепая, радостная дама Татьяна, и в ногах у нее путается, повизгивая от счастья, махонький комочек, и мир, образно говоря, распростерт перед ними, и все у них еще впереди, и приобретения, и потери, и муж, скорее всего пьющий неудачник, и дети, часто болею-

щие и капризные, и свекровь, полоумная больная карга с неугасаемой мечтой о несметных полчищах кавале-
ров... И весь этот букет стихийных бедствий маячит
где-то впереди, но к такому повороту событий они уже
готовы, с этим они справятся, потому что познали
свою, отличную от других, истину, путь к которой от-
резан для всех остальных.

СТАНИСЛАВА БАРАШЕК

За подписью и печатью

Один Мужчина очень любил гарантии. И женщин. Особенно радовался, когда удавалось совмещать. Когда он женился, кроме брачного договора, по условиям которого это был самый настоящий Надежный Брак перед богом, людьми и недешевым юристом от Петра Иваныча, от супруги потребовалась нотариально заверенная расписка в трех экземплярах (подпись заверяющего нрзбрчв, копия верна). В расписке значилось, что она, супруга, со всей ответственностью осознает и ценит выпавшее на ее долю счастье, а также готова любить, уважать и варить борщ не реже трех раз в месяц, пока смерть не разлучит ее с борщом навсегда. Все было хорошо: дети росли, тщательно отобранные любовницы знали свое место и не претендовали на большее, благоверная серьезно относилась к своим обязанностям, была заботлива и неприхотлива в быту. И все были довольны текущими обстоятельствами, пока Мужчина не встретил Её.

Справедливости ради стоит сказать, что девушка даже не заметила, что ее встретили и все не просто так. С этим Интернетом, сами понимаете, нелегко опознать судьбоносное событие. Толпы незнакомых людей виртуально бродят по твоему блогу (не говоря уже о страничке на фейсбуке) туда-сюда, суют свое ценное мнение в каждую щель по поводу и без, и попробуй догадайся, что данный конкретный персонаж тут не абы для чего, а по Очень Важному Делу.

Мужчина же к процессу подошел, как полагается солидному человеку его возраста и репутации. Заметив атипичное томление в груди, неровный сердечный ритм и несвойственные ему мысли о синих очах и жарких ночах, он полез в Гугл разбираться. В данном вопросе нет ничего важнее подбора заслуживающих доверия авторитетных источников, это знают даже нерды с хабра-хабр.ру, не говоря уже об умудренных опытом главах семейств. Гугл был категоричен с диагнозом. По всему выходил тяжелый кризис среднего возраста с разрушительными последствиями, и избавиться от него можно было только путем радикальных перемен в жизни. По мнению дипломированных экспертов с сайта экстрасенс.ру (квалифицированная психологическая помощь, приворот, гадание на рунах и картах Таро), Уран находился в пятом доме, семейный сценарий был глубоко деструктивен и нужно было срочно реализовывать свое желание простой человеческой любви и понимания согласно Берну, Фрейду и девице Ленорман. Иначе грозят деменция, импотенция и язва желудка.

Понимая всю серьезность происходящего, Мужчина написал избраннице личное сообщение на фейсбуке и, без намеков и двусмысленностей, настойчиво потребовал развиртуализации на основании невероятно важных причин, не подлежащих оглашению онлайн. К своему несчастью, девушка попалась отзывчивая и любопытная, в назначенное время пришла в условленное место (публичное, приличное и недорогое). «Пунктуальная...» — с нежностью подумал Мужчина.

Ходить вокруг да около он не стал, время — деньги, главное — вопрос решить побыстрее, а то еще дочь из музыкальной школы забирать. В общем, выступил он с речью и предложил даме сердца зарегистрировать отношения после необходимого в его текущих обстоятельствах бракоразводного процесса. Ну и еще всякого предложил по мелочи — любовь, уважение, треть двушки в Марьине, крепкий «Опель» 85-го года выпуска, три дня в Турции и уверенность в их светлом будущем. Да, и самое главное: чтоб он точно не сомневался в серьезности намерений избранницы, она должна немедленно дать подписку о неразглашении и о невыезде за рубеж на ПМЖ. И еще составить справку обо всех возможных местах пребывания, включая домашний адрес, рабочие координаты и список подруг со всеми контактными телефонами.

Увлекшись серьезным процессом формулирования условий, Мужчина не заметил, как звякнул колокольчик на двери кафе. Отсутствие любимой он обнаружил только когда последний подпункт последнего параграфа будущего брачного договора был зафиксирован на салфетке. «Наверное, за юристом побежала, умница моя», — подумал Мужчина. Конечно, она же не может не вернуться, это же не кто-то там, а Его Избранница, ради которой он берет на себя риски и готов на многое. Да и оферта осчастливит любую женщину, понимающую толк в хороших предложениях, а тут же просто студентка — без связей, без капитала, без перспектив. Ну, разумеется, она вернется, как же иначе? Тем более после столь красноречивой демонстрации чувств с использованием доказательной базы и подтверждающих аргументов. Нет, ну а как же иначе-то?

Обманывать нехорошо

Одна Женщина была ненастоящей. Она так про себя и говорила: «Я — не настоящая женщина». И то верно, подруги-то вон все были как на подбор. Лучшая подруга работала психологом, специалистом по наращиванию ногтей и экскурсоводом-востоковедом. Одновременно. Цитировала за завтраком Конфуция, а спутник жизни (пятый по счету) благоговейно внимал. Ездила три раза в год в Париж за всяческим кутюром, обожала винтаж и йоркширских терьеров, пока те не вышли из моды. Увлекалась политикой, остроумно троллила в Интернете поддерживающих актуальное правительство и даже один раз пошла на Болотную площадь, но там было холодно, скучно и толпилось слишком много единомышленников. А еще она не мыслила вылазки в супермаркет без яркого макияжа и даже на пробежку отправлялась на каблуках, утверждая, что так лучше прокачиваются ягодичные мышцы. Да и вообще, мало ли где и когда встретишь свою судьбу, а встречать судьбу неодетой-ненакрашенной — моветон, не шарман и вообще стыдобища. «Какая она красивая и умная!» — вздыхала ненастоящая Женщина.

Вторая подруга была отличной хозяйкой, умела готовить пять вариантов рагу из пельменей, шить, вязать, вышивать гладью и крестиком, ваять фигурки из войлока и бусики из полимерной глины, могла сделать модный шарфик из старой футболки, игрушку из носка и событие из приезда свекрови. Ее дом был набит хендмейдом и прочим пэчворком, сверкал надраенной сантехникой, сиял еженедельно отмываемыми до скрипа окнами, пах пирогами и «Мистером Пропером с ароматом горного одуванчика». Муж круглосуточно обихожен, накормлен и выглажен, дети умыты и разносторонне развиты. Свободного времени ни минуты: то вести на английский старшего, то забирать с йоги среднего, то переносятся ирландские танцы у младшего, а это значит, что от похода в боулинг с подругами опять придется отказаться. Зато семья. И смысл жизни. Семья нужна каждой порядочной, уважающей себя женщине, дети — наше будущее, радость и счастье. Всегда. «Какая она чудесная хозяйка!» — страдала ненастоящая Женщина.

Были и еще подруги — увлекающиеся астрологией буддистки, воздушные профессиональные танцовщицы, изящные фотомодели, гениальные художницы, популярные в узких кругах писательницы и даже одна дама-парфюмер, колдующая над эфирными маслами у себя на кухне по вечерам. И каждая из них являлась настоящей-настоящей женщиной и даже как будто бы с соответствующим сертификатом и штампом ОТК. А наша Женщина — не являлась. Не то подводили волосы, не желающие укладываться в красивую прическу, не то нос великоват, не то с фигурой что-то не так, не то карьера недостаточно головокружительна... Непонятно. И шляпки не идут, и юбки не сидят, будто заколдованные. А недавно вот готовила консоме, так потом рыдала полдня — борщ у подруг все равно аппетитней, как ни старайся. Правда, коллеги на прошлой неделе похвалили новую сумочку, но это они наверняка из жалости.

Однажды вечером ненастоящая Женщина сидела в кофейне, потягивала традиционный мокко и играла сама с собой в шахматы на смартфоне (нет, вы себе это представляете?! в шахматы!), периодически отвлекаясь, чтобы проводить грустным взглядом очередную модницу при макияже и бойфренде. И только она собралась прогуляться к барной стойке еще и за пирожным, чтобы слегка подсластить неудавшуюся жизнь, как откуда-то сверху раздалось:

— Извините, позволите вас угостить?

Подняв глаза, Женщина увидела рядом со своим столиком очень высокого симпатичного мужчину, держащего в руках тарелочку с тем самым вожделенным пирожным! И как он догадался? Телепат, что ли...

Мужчина переминался с ноги на ногу и явно чувствовал себя неловко. Однако ответный лепет он моментально принял за согласие, присел за столик и, с нежностью во взоре наблюдая, как визави робко хрустит карамелью, начал излагать. В кафе было шумно, какой-то посетитель буянил у стойки по поводу качества эспрессо, поэтому пришлось говорить достаточно громко.

Новый знакомый рассказал, что до вчерашнего дня работал юристом в конторе, снимающей опен-спейс на том же самом этаже офисного центра, где располагалось бюро переводов, которое периодически подкидывало работу ей в виде огромных нечитаемых инструкций к горнодобывающим агрегатам и прочей суровой технике. И когда она приходила сдавать готовые переводы, весь этаж озарялся неземным светом, а за шумом копировальных аппаратов и дребезжанием старой кофеварки можно было даже услышать пение ангелов.

Обманывать нехорошо

Подойти к дивной красавице не хватало духу, были подозрения, что она слишком популярна и, разумеется, отвергнет ухаживания любого, не вышедшего статусом. А в том, что он не вышел статусом, мужчина не сомневался. В довершение прочих печалей судьба преподнесла ему неприятный сюрприз — вчера был подписан приказ о его переводе в другой филиал. Значит, не будет больше возможности хотя бы иногда наблюдать издалека за любимым существом, поэтому он набрался смелости и... Но куда... куда же?..

С растерянностью наблюдая, как его любовь спасается бегством, мужчина отчаянно корил себя за неуклюжесть, несдержанность и дурное воспитание. Господин средних лет за соседним столиком, только что закончивший что-то черкать на десятой подряд салфетке, смотрел неодобрительно. Действительно, что за мексиканские страсти в приличном публичном месте?

А Женщина, убегая все дальше и дальше от злополучного кафе, повторяла про себя: «Лишь бы он не догадался, лишь бы не узнал, что я на самом деле — ненастоящая! Нельзя разочаровывать такого прекрасного человека! Так что прочь, прочь отсюда!»

Потом она уволилась от греха подальше, переехала в другой город и на всякий случай перестала ходить в кафе, театры, кинотеатры и даже в торговые центры. Вдруг еще кто-то в нее влюбится ненароком, а она-то, Женщина, ненастоящая. Обманывать хороших людей она не будет ни за что, да и тайное всегда становится явным. Нет, ну а как же иначе-то?

Спасти человечество

Один Мужчина жить не мог без правды. В основном это, конечно, была правда о других людях, которую нужно было им регулярно сообщать ради их же блага. Он нес свет истины семь дней в неделю без перерыва на обед и считал, что его долг — сделать мир лучше.

Разумеется, если люди узнают о себе всю правду, то они немедленно побегут самосовершенствоваться и добро восторжествует. Чтобы приблизить торжество добра, Мужчина день и ночь сидел в Интернете в поисках тех, кому бы он мог помочь и кого спасти от тьмы, невежества и прозябания. Недостатка в спасаемых не было — как известно, в Интернете всегда кто-то неправ. К несчастью, приходилось ограничиваться исключительно русскоговорящей аудиторией, потому что иностранных языков Мужчина не знал и учиться ему было некогда — долг перед человечеством обязывал, прерываться на всякую ерунду он себе не позволял.

Каждое утро начиналось одинаково — звенел будильник, Мужчина подскакивал на постели и, пока жена варила кофе (да, представьте себе, он был женат, но об этой даме чуть позже), быстро просматривал почту и несколько форумов. Ответив всем собеседникам сообщениями вида «учите матчасть», «у вас нет таланта» и «какая чушь», с чувством глубокого удовлетворения Мужчина отправлялся на работу.

А на работе — люди, и они тоже явно нуждались в порции суровой, стимулирующей правды. У секретарши юбка не в тон помады, проект-менеджер недостаточно свеж и бодр, бухгалтеру явно нужно похудеть, у дизайнера непрестижный диплом, курьер патологически ленив и невоспитан, а сисадмин так и вовсе являет собой редкую коллекцию тяжелейших пороков и, пока не поздно, нужно принимать решительные меры!

Клиенты тоже неблагополучные: у одних слишком вычурный логотип, другие выделяют маленький бюджет на рекламу, у третьих несимпатичный гендиректор, у четвертых руководитель вообще женщина и, следовательно, фирма стремительно катится в пропасть, а пятые уже седьмой год отказывались сотрудничать и отвергали даже самые выгодные предложения, глупые недальновидные люди.

Тяжелая это работа — правду говорить, а пока всех на путь истинный не наставишь, домой нельзя. Поэтому частенько приходилось брать сверхурочные. Тем более что в рабочее время и в Интернете было чем заняться во благо всех заблуждающихся.

Дома тоже не было покоя — жена Мужчине досталась любящая, но бестолковая: готовила не как его мама, не могла похудеть, чтение какой-то ерунды предпочитала просмотру новейших блокбастеров, тратила неоправданно много денег на хозяйство, не вытирала пыль на антресолях, зачем-то завела кота, избегала общения со свекровью и не умела как следует воплотить его советы в жизнь, хотя и очень старалась, конечно. По-хорошему, развестись бы с ней, но жалко ж дурочку, кому она еще такая нужна? А так ей повезло — сама пристроена, рядом такой чудесный и во всех смыслах положительный муж, заботится о ней, любит.

Как ни странно, дама была полностью согласна с мнением супруга. Действительно, не красавица, не умница, диссертацию вон никак не допишет, немолода уже, за тридцать, и случись развод — она моментально пополнит собой ряды брачного неликвида. Поэтому нужно брать что дают, и радоваться, ничего лучшего с ней не случится уже никогда. Да и вообще, а на что жаловаться? Все же нормально. Муж в семье главный, как сказал, так и будет. Не то что эти подкаблучники у подруг, чуть что — цветы сразу тащат охапками, лишь бы на них не обижались. Позорище!

История эта могла бы продолжаться годами без малейшего изменения сюжета, но однажды случилось непредвиденное — Мужчину уволили. Поговаривали, он запорол важный кусок работы, увлекшись спасением мира, и проект потом вытягивали всем отделом.

Однако сам герой считал себя страдальцем за идею, непонятым творцом и оклеветанным борцом за светлое будущее человечества. Как бы то ни было, посреди недели ближе к вечеру вызвало его начальство, вручило приказ об освобождении от должности вместе с расчетом, ну и отпустило на все четыре стороны. С облегчением вздохнув, когда за бывшим сотрудником закрылась дверь.

Мужчина шел домой, и обида кипела в его душе: не оценили! а он для них! а они! лицемеры и подлецы! неблагодарные! Так, стоп, вот он же сейчас придет домой, и что, ему весь вечер любоваться на унылую физиономию жены? Нет, это никуда не годится. Надо срочно что-то делать, куда-то бежать, очищать свое доброе имя и восстанавливать реноме. Вперед! К людям! Уж они-то оценят, уж они-то поймут! О, а вот и какое-то кафе! Творить добро за чашкой кофе с бутербродом много приятнее, чем на пустой желудок.

Ввалившись в кафе и выпив залпом двойной эспрессо, Мужчина немедленно занялся гармонизацией пространства. Позвал менеджера и указал ему на вопиющие недостатки помещения — огнетушитель стоит не по фэн-шую, стены выкрашены в слишком темный цвет, столиков многовато, и все это в массе не могло не сказаться на настроении клиентов. А как известно, клиент всегда прав, особенно желая такой вещи, как элементарный комфорт.

На этом Мужчина не остановился. Поймав за пуговицу баристу, занялся образованием несчастного юноши и прочитал ему лекцию о превосходствах французской обжарки зерен перед итальянской. Бедняга еле вырвался и убежал в подсобку пить валерьянку.

Дальше по плану было знакомство непосредственно с посетителями. Но только Мужчина заприметил подходящую пару за столиком недалеко от барной стойки (долговязый парень неумело объяснялся краснеющей девушке в любви, и его срочно требовалось подбодрить), как вмешался охранник и по сумме подвигов выставил правдоруба на улицу. Окончательно разочарованный в человечестве, Мужчина побрел домой.

Он не мог понять, в чем дело, где он так просчитался и почему никто не хочет следовать его полезным советам. Человечество катилось в пропасть и упорно не желало быть спасенным. Вот только жена... Кстати, уже пора напомнить о недостатках ее фигуры, а то абонемент на фитнес пропадает. Мужчина воспрял духом и ускорил шаг: пусть массы и отвергли его конструктивную критику, зато он все еще может спасти свою семью — ячейку общества. Все великие дела начинаются с малого, глядишь, человечество потом подтянется, вдохновленное примером. Нет, ну а как же иначе-то?

ТИНАТИН МЖАВАНАДЗЕ

Разведчик в кремовых туфлях

Одна Женщина — довольно молодая — очень хотела замуж.

Она так сильно этого хотела, что довела себя до крайней степени совершенства, включая минимальный вес, упругие мускулы, прическу Лорены Дель Вильяр (это из сериала, вы не знаете) и гардероб стильной штучки — одному Господу известно, каких усилий стоил этот гардероб Одной Женщине. Денег у нее было немного, но жажды стать стильной штучкой — три вагона, поэтому в ход шли самые изобретательные способы. Например, покопаться в уцененных товарах — тогда еще секонд-хендов не было, они лет через пять появились, — выудить какой-нибудь кожаный пояс со ржавой пряжкой за одну единицу денег, дешевле только на улице подобрать, ржачину отскоблить напильником и смазать вазелином, и потом носить с шиком, вызывая взгляды и вопросы.

Или сыграть в лотерею на работе — Женщина трудилась в приятном месте, правда, платили там очень мало, буквально на блок дешевых папирос и пачку кофе, — отказывать себе во всем, перехватывать у семейных сотрудников по принципу домино, а потом — бабах! — ухнуть кучу денег на единственный сумасводящий пиджак, не поверите — кашемировый, или точнее — фланелевый, в общем — такой эротичный на ощупь, что любой мужчина, прикасаясь, вожделел Женщину тут же немедленно. Для того и старалась — замуж хотела очень сильно.

Еще Одна Женщина умела перешивать из старых вещей — например, из сестриной рубашки шоколадного цвета она сшила такое боди с рукавами в три четверти! Даже в лучших магазинах подобной прелести не было: тонкий маечный трикотаж, ключицы открыты максимально, талия в облипочку, а все вышло так удачно потому, что Женщина заморочилась кучей тонких прострочек — это же надо было пе́ред поменять на зад, вывернуть изнанкой наружу, вытачки сделать и посадить как корсет, в общем — голь на выдумки хитра.

Потом — еще со студенческих времен у нее хранилась пара-тройка выдающихся вещей, вроде белой шелковой юбки солнце-клеш, и золотистых сережек-шахерезад. Это было очень-очень важно — выглядеть абсолютно потрясающе, достойно, чтобы глаз сразу выхватил из прохожих, и захотелось с ней пройтись и посидеть, а дальше уже как понравится.

К слову, особой красотой Женщина не отличалась, в юности она брала тем, что удивительная и уникальная. Но как-то попала в такие неблагополучные условия, где ценителями ее уникальности становились только сморчки или пидарасы, а ей надо было выйти замуж за кого-нибудь получше, чтобы уже все заткнулись.

Как зачем?! Затем, что бесприданница, скиталась по родственникам, семьи хотелось, определенности, и чтобы мама уже не плакала. Вернее, чтобы мама в конце концов говорила с ней о чем-нибудь еще, кроме «красавица южная — никому не нужная, когда же ты выйдешь замуж, не тяни, пожалуйста».

В общем, это неважно.

На работе ей часто приходилось оставаться допоздна и потом ехать домой как придется — темный страшный город, транспорт не ходит, кругом маньяки, а она вся нежная и боится насилия. Бояться она боялась, но тем не менее бесстрашно выходила ловить попутки — и доставались ей каждый раз совершенно удивительные водители.

Что приятно, крайне редко брали деньги за проезд, разве что совсем уж вредный дед попадался, а вообще расцветали и рассыпались в комплиментах, рады были поболтать и — если успеют — предложить завтра на кофе куда-нибудь. Ну и все, никакого продолжения, разумеется.

Всякое бывало в этих поездках, чаще всего все завершалось благополучно, но один раз Женщина подняла руку и тормознула довольно приличную «шестерку» желтого цвета: по ее наблюдениям, в таких машинах, как правило, катались спокойные семейные мужчины, тем более машина была аккуратная, непобитая, без наклеек и висюлек, можно было ожидать хотя бы не психа за рулем.

Женщина села назад, милейшим голосом сообщила адрес, по обыкновению сделала гримаску — далековато ехать, и спросила о цене. Водитель усмехнулся и сказал, что такую очаровательную пассажирку он отвезет с удовольствием и, пожалуйста, больше ни слова о деньгах.

Женщина почуяла дуновение приключения — нет, не того рискованного приключения, которого ищут легкомысленные девицы, а Приключения — обещания Красивой Любовной Истории. Дело в том, что Женщина до этого была влюблена, и неудачно, без взаимности, а поклонников своих всех профукала — в общем, как-то сглупила, и теперь старалась наверстать упущенное — и если повезет, заодно и замуж выйти. Это вообще-то была первоочередная цель, но — она уже понимала, что в ее возрасте и финансовом положении, и при небогатом выборе мужчины прежде всего хотят удобных половых отношений. Ей от этого было горько, как будто пузырек йода выпила вместо лимонада, но — возмущаться было просто не перед кем, да и бессмысленно, годы-то идут.

В общем, Женщина включила свое очарование на предпоследнюю мощность. Почему не на максимальную? Ну, пока все еще было неясно, хоть интуиция подсказывала, что мужчина непростой — плечи широкие, пальцы на руле длинные и холеные, голос и выговор — очень даже на уровне, но все-таки — темновато, поздновато и мало ли что впереди.

Очарование предпоследней мощности включало в себя: мелодичный переливчатый смех, остроумные замечания, деликатные наводящие вопросы, выгодно представляющие клиента, мало говорить и много слушать, изображая существо, поддающееся дрессуре.

Мужчина невероятно вежливо спросил — нельзя ли по пути заехать забрать кое-что, буквально минут десять на это уйдет. Женщина напряглась, но в борьбе между здравым смыслом и вежливостью выбрала последнее — а вовсе не адреналин.

Путь оказался ненамного длиннее, зато на поговорить времени добавилось ого-го, и появилась какая-то домашняя интимность — вот, мы вместе уже по делам какие-то ездим. «А не могли бы пересесть вперед, а то так неудобно головой вертеть все время», — попросил Мужчина, и Женщина, внутренне замирая от стремительной скорости развития Приключения, пересела. Тут они оба рассмотрели друг друга — тайком, но цепко, — удостоверились: не так, чтобы сойти с ума, но вполне на уровне.

До дома оставалось ехать минут пятнадцать, Мужчина говорил о себе скромно и с достоинством, однако главное сказал, он — Режиссер. И у Женщины моментально снесло крышу, потому что у нее была мечта — выйти замуж за режиссера и уехать отсюда к чертовой матери всем назло.

От счастья она еле расслышала остальное — у Мужчины, которого уместнее будет отныне называть Режиссером, нет родителей, нет братьев-сестер, есть только одинокая бабушка в деревне, а живет он в неплохой квартире в Швеции. Внутри Женщины все пело, танцевало и взрывало петарды — есть! Есть! Попался! Уж теперь-то я тебя не упущу! Главное было на мази: Режиссер несомненно заинтересован и хотел бы продолжить знакомство, а остальное — дело стратегии и тактики.

Назавтра Женщина с утра сгоняла на работу, в перерыве отпросилась, пока нет шефа, и примчалась к Сокровенной Подружке, которой было всего пятнадцать лет, но она была не в пример умнее Женщины. Они вдвоем битых два часа разбирали на миллимикроны Режиссера и все его реплики, жесты и облик в целом. И тут оказалось, что не все гладко.

Сокровенная Подружка взяла лист бумаги А4, ручку шариковую, линейку и по пунктам записала все его откровения. Затем добавила показания свидетеля —

приметы, улики, детали, сопоставила даты, и по всему вышло, что сверкающий хрустальными доспехами трофей малость привирает, если не сказать больше.

— Для начала хватит, но ты сегодня материалу еще собери, — с таким наказом проводила Подружка озадаченную Женщину. — Ты дура наивная, а я столько навидалась от хахалей своей матери — контору техпомощи впору открывать!

Вечером Женщина, нарядная — в том самом пиджаке! Кашемировом, оттенка фосфора пополам с охрой, с прической Лорены Дель Вильяр и облитая индийскими духами — между прочим, ничем не хуже французских, «Вивр» называются, — пришла на встречу. Жажда Красивой Любовной Истории бушевала в ней и подталкивала переключить очарование на самую большую мощность, но сомнения стояли на страже чугунной оградкой со стрельчатыми зубьями и не давали разгону. Режиссер вроде бы вел себя вполне достойно, однако — сожрал пирожное, взяв его с тарелки двумя руками.

— Люблю вот так, без лишних церемоний, — простодушно признался он, слизывая с губы сахарную пудру. Потом принялся рассказывать, как познакомился в самолете с Марленом Хуциевым, и тот взял шефство над юным сиротой и помог ему устроиться во ВГИК на факультет батальной режиссуры (sic!). И он даже принимал участие в постановке открытия Олимпиады в Москве в 1980 году.

Женщина остолбенела, потому что она — хоть и дура, но кое-что понимала в кинематографе и умела читать, считать и запоминала прочитанное намертво. Вся хрустальная конструкция шаталась и оседала на глазах. Но ведь взрослый человек же!! Он не может так нагло врать! Я же не такая, кричала из глубины Хорошая Девочка. На что интеллект выдавал холодные расчеты: в 1980 году Мужчине могло быть только 19 лет, какая там батальная режиссура, болванка ты.

Тем не менее, взяв в игре восторженный влюбленный тон, нелегко от него избавиться и сразу перейти на протокольный стиль. Поэтому пара еще пощебетала, покаталась по ночному городу и попрощалась многообещающим поцелуем у подъезда.

Утреннее совещание у Подружки принесло неутешительные плоды, и все фактами, фактами:

— А вот он говорил, что часы ему от отца достались, а как могли быть у его отца часы марки «Омега»?

— А вот он говорил, что учился в Швеции восемь месяцев бизнесу — на каком языке, если он английского не знает? Неужели шведский выучил?

— А вот он говорил, что никогда не был женат и кольца не носил, а у самого на пальце — белая полоска между загаров?

И так по каждому утверждению.

Оставалось его как-то вывести на чистую воду, но как — и главное, зачем?! А затем, что Женщина, несмотря на все доводы разума, надеялась, что недоразумения разъяснятся.

Он так печально говорил, что одинок, что ему нужен семейный очаг, что хочет детей, что готов хоть сегодня предложить руку и сердце, но квартира в Швеции мала для двоих, и тем более для семьи, и ему надо все подготовить, потому что он хочет для этой маленькой красивой женщины (он так говорил, ну вот ей-богу) сотворить чудо — и свадьбу, и путешествие, и бриллианты, и даже роли в кино.

Женщина все понимала, но медлила с разрывом — происходящее было так упоительно! Ну и что, что дура, вот у подруг вообще ничего в жизни не происходит, одна так вообще целыми днями возле окна торчит и номера машин запоминает от безделья. А тут — есть о чем помечтать, поговорить, пообсуждать и даже похихикать перед сном.

Все разрешилось само собой. Встретилась как-то Женщине на улице дальняя знакомая, респектабельная замужняя дама, и спросила в лоб — ты ездила на желтой «шестерке» с такими-то номерами?

Смешавшись, Женщина подтвердила — да, ездила и езжу, в чем проблема? На что дальняя знакомая выдала ей вот такое: этот аферист клеил ее лет пять тому назад по знакомому сценарию — подвез, представился режиссером, именно что Швеция, свадьба, Хуциев, Олимпиада, все в ассортименте. Спасло только то, что обнаружились общие знакомые. Мужик женат, двое детей, никакой не сирота, мать жива-здорова, мелкий бизнес, в общем — аферист. Живет в маленьком городишке у черта на куличках, сюда приезжает с деловыми интересами.

Женщина не то чтобы сильно расстроилась, но внутренне застыла. Пришлось принимать вынужденное и безотлагательное решение — Мужчину надо изгонять. А ведь уже сложилась какая-никакая совместная жизнь — встречи после работы, посиделки в кафе, разговоры, потом катание в сумерках под музыку, когда томные неясные мечты скользят по стеклам вниз и манят, и манят, и теперь все это попало под резкий свет обличительных юпитеров и нуждалось в ревизии.

Добило ее вот что: на свой день рождения она ждала, что Мужчина устроит небывалое, и все откроется своей правдивой стороной, и он посрамит всех недоброжелателей, и увезет ее от серой понурой жизни в ту же Швецию, например. Она сидела вся открахмаленная на работе, смотрела на часы и позвякивала длинными сережками-шахерезадами, а он так и не приехал и не позвонил, а потом посигналил вечером снизу, когда она уже сидела дома в тапках и грелась об кружку с чаем, и вручил ей букет из трех красных гвоздик, одна из которых была переломана по талии.

Дополнительно он рассказал о своей мечте, чтобы любовь у него была, как у покойных родителей (Негодяй! Негодяй! Положил мать в землю заживо!), глядя в сторону, он изобразил последние минуты отца перед смертью: когда они попали в аварию, тот нашел в себе силы побарабанить пальцами по стеклу — так он вызывал мать на свидание в период ухаживаний.

Женщина сидела с букетом в тапках вся деревянная: ей ужасно хотелось спросить — а кто был в машине еще свидетель-то?! Кто увидел эти пальцы на стекле, гнида ты навозная? Но ничего не сказала и пошла домой.

Женщина поднялась с букетом по сумрачной лестнице, и бешенство закипало в ее отмокающей от заморозков голове — именно в голове, а не в сердце, потому что все процессы локализовались где угодно, но не в сердце, в этом-то и причина.

Она посмотрела на этот букет, в мгновение изломала его на мелкие ошметки и вышвырнула с размаху в окно, мечтая, чтобы желтая «шестерка» все еще стояла внизу и получила бы по лобовому стеклу мусором.

На другой день Женщина собралась с мыслями, приготовила борщ, пригласила Мужчину, налила тарелку и, пока он ел, с аппетитом окуная в солонку сложенные пополам стебли зеленого лука, интеллигентно выложила все, что накопилось за месяцы наблюдений и размышлений. Мужчина посмеивался, и Женщина зачарованно думала про себя: неужели это происходит со мной? В самом деле и не во сне этот стареющий, некрасивый, полулысый пошлый мужик мог меня увлечь в мечты, и так надолго? И почему я все еще с ним вежлива, а не пошлю в дальние дали?

— И кстати, — вдруг осенило ее, — если уж ты дуришь женщинам головы на такой маленькой территории, мог бы разнообразить свой репертуар — а то уже столько лет режиссер да режиссер.

— Разведчики легенду не меняют, — со смешком пояснил Мужчина и отложил вылизанную ложку. Женщина посмотрела на его кремовые туфли и окончательно проснулась.

Все закончилось благополучно, без трагедий: Одна Женщина получила серьезный жизненный опыт и не перестала доверять людям, хотя вроде не совсем клиническая дура, и за это ей повезло. Она стала счастливая, но это уже совсем другой рассказ.

Женщина с заячьей губой

Одна женщина — назовем ее Манана — была с заячьей губой и толстая. Зато она из хорошей семьи, умная плюс хорошая хозяйка. Замуж она вышла, как ни странно, очень недурно — за симпатичного, хоть и разведенного парня, которому предыдущая жена навесила рога, а Манана повозилась и вытащила бедолагу из депрессии. Она его любила и надеялась, что и он ее любит — за то, что такая хорошая.

Лет десять жили отлично — все как у людей. Ребенок, правда, родился тоже с заячьей губой, и вдобавок с волчьей пастью, а представьте девочку с такими проблемами, и Манана с мужем делали все возможное и невозможное, чтобы эти проблемы решить: возили, оперировали, выхаживали, платили бешеные деньги — в общем, все шло своим трудным, но правильным ходом.

В доме всегда порядок, как в журнале, ребенок без комплексов — хоть и с операциями, муж работящий и обихоженный, а уж застолья она закатывала — гости стонали и падали, поглощая индюшек в ореховом соусе, и признавались в бесконечной любви к хлебосольному семейству.

Единственная нерешаемая проблема у Мананы была — лишний вес. Мало сказать — лишний, откровенно говоря, вес был дважды лишний — где-то уже за центнер. Кто бы ее осудил — столько нервотрепок, волнений, бессонных ночей из-за ребенка. К тому же она умела отлично одеваться — вроде идет туша тушей, а брючки стройнящие «афгани» черные, и стрижка коротеньким ежиком, и очки в оправе «бабочка» — ну в сто раз стильнее, чем тощие приятельницы! И характер у Мананы был компанейский, подруг штук двадцать, если не больше, и в целом она была своей жизнью довольна, потому что натура здоровая и жизнерадостная.

Нельзя сказать, что лишний вес она не замечала — сгоняла как могла, но — стоял, зараза, и не двигался. Уж и щитовидку проверяла, и диеты пробовала, и вообще днями ничего не ела — хоть ты застрелись вообще, стоит, и все.

И тут в один прекрасный день Манана обнаружила интересную вещь — муж влюбился в другую. Неважно, как это произошло, но — муж факт не отрицал, во всем сознался: за пару месяцев летом, пока жена с ребенком были на даче, нарыл себе в Интернете разведенную молодую актрису. Собрал чемодан и ушел.

Манана была в таком потрясении, что стала худеть. За пару месяцев она сбросила четверть центнера и даже не заметила, как это произошло. Только после того, как штаны «афгани» утром соскользнули на пол, удивленно посмотрела в зеркало — и, о чудо! Увидела там себя лет в двадцать пять — лицо со скулами, волосы до плеч — когда успели отрасти-то? И даже талию и бедра.

Тем временем муж, уставший от жизни в чужой семье — актриса-то не очень хозяюшка оказалась, вернулся с чемоданом и попросился обратно. Манана разволновалась и стала думать. Все-таки она немолодая, хоть и похудела слегка, а заячья губа — это так противно, наверное.

— Мать, ты бомба! — заорала ее подруга-матерщинница Кора, увидев Манану в джинсах и курточке. — Да пошел он к такой-то матери, гандон! И даже не думай его пускать обратно!

— Десять лет вместе, я не хочу свой труд отдавать какой-то иждивенке, — возразила Манана.

— Ты еще скажи, что ребенку нужен отец, — плюнула Кора.

Женщина с заячьей губой

Пожив в доме пару месяцев, муж заскучал. Манана делала вид, будто не замечает ни его уединений в туалете с телефоном на долгие часы, ни что ему по-прежнему ничего не нравится — ни еда, ни гости, ни ребенок, ни она сама.

— Я тебе говорила?! — орала Кора, пыхая сигаретой и разливая пунш половником. —Вечно ты печешься о том, что скажут люди! Вот мне вообще по фигу, я могу и третий раз замуж выйти! Бесик, могу или нет, а?! — грозно вопрошала она у сына-подростка.

— Маман, я удивлюсь, если вы этого не сделаете, — галантно отвечал Бесик, наклоняясь к маминой ручке.

— То-то же, пошел вон, возьми деньги на полке! — Кора победно глянула на поникшую Манану — та все еще не могла решиться решить окончательно и бесповоротно.

Прошел год — разделенный дозами по два месяца приходов-уходов. За это время Манана похудела до того веса, когда ее уже не узнавали домашние, и фотографии получались такие, что на фейсбуке «лайки» сыпались Ниагарским водопадом. Гардероб она поменяла радикально, одеваясь так, как всегда мечтала — просто в джинсы и белые майки, волосы заплетала в небрежную косу, а ее шепелявость оказалась ужасно милой — худые женщины вообще милые, включая дурацкие недостатки.

Она поглядела вслед мужу, уходящему в очередной раз, и задумчиво сказала, что все — больше может не приходить. Он не обратил внимания, и зря: через положенные заведенным порядком два месяца Манана действительно не пустила его домой! Ничего не помогало: ни уговоры, ни обещания, ни посредники, ни угрозы, ни-че-го.

Манана стала звать своих девочек в гости и пировать допоздна с песнями и плясками. Потом наняла учительницу по вокалу и запела в трио городского романса. Дочери купила собаку и разрешила играть во дворе до полуночи. Муж являлся с проверками и выходил из себя — ребенок растет в неподобающих, аморальных, разлагающих условиях! Манана молча пожимала плечами и говорила: «Мне ремонт надо делать, а ты тут с глупостями».

Муж начал суетиться и сделал ей ремонт. Потом добавил денег на новую машину. Он гнездится не у той женщины и не у этой, а у своей сердобольной сестры и контролирует ситуацию издали.

Манана живет припеваючи.

— Зачем мне дома лишний хлам? — пожимает она плечами, мило шепелявя заячьей губой. — Другой мужчина — ха-ха-ха!

Кора злится и внушает Манане, что муж дома всетаки нужен — пусть даже новый. Манана загадочно улыбается и берет верхнее «до» безо всяких усилий.

Идеальная сказочная история кардиолога Хатуны

Одна женщина — звали ее Хатуна — работала кардиологом в специализированной клинике и света белого не видела. Поскольку она была холодноватая и замкнутая, ее маршрут пролегал строго между «завод-кравот», то есть — работа и дом, дом и работа. Ей уже исполнился тридцатник, хотя по виду давали максимум двадцать пять, но никаких романов у нее не было и в ближайшем будущем не намечалось. Познакомиться она могла только в двух случаях: либо на работе, но все коллеги были женатые, пациенты же непригодны для романов, либо по дороге, а раз ездила она на собственном джипике — папа подарил, то и там вариантов не оставалось. Водила она не очень хорошо, вцепившись в руль и не вертя головой никуда вообще.

Родители и сестра уже отчаялись ее с кем-то познакомить — разве что заслать жениха в больницу в виде больного, но поди отыщи такого молодого человека, кто согласится на подобную авантюру. А если и отыщется, никаких гарантий, что они друг другу понравятся. А даже если понравятся, а потом не заладится — всю вину свалят на авантюристов, так что — ну его к лешему, пусть живет как хочет, лишь бы здорова была.

Как-то раз вернулась она с работы, вымотавшись сильнее обычного, и ставила джипик в гараж задним ходом. Надо понимать, что получалось у нее из рук вон плохо — это маневр не для новичка, гараж был узкий, а джипик широкий, в общем — валандалась она так битых минут сорок, закипая от бешенства, хотя эта эмоция была ей в принципе незнакома в силу нордического темперамента.

В это время соседнем подъезде на балконе второго этажа курил молодой человек. Он приехал к родителям в отпуск на месяц, чтобы жениться — у него была такая задача поставлена. И курил он не потому, что курильщик — вообще он давно бросил, просто задача оказалась дико дурацкая, и он нервничал. В очень далекой стране, где он жил, искать невесту было некогда и негде. К тому же он не хотел брать в дом кого попало, а хотел настоящую приличную девушку, чтобы уже раз и навсегда.

И после маминых разговоров он опять занервничал, что — вот, зря скатался, и что делать вообще, и жениться не хочется по расчету и сговору, это же ужас что такое, и стал курить. Тут во дворе появился джипик, вышла девушка-блондинка с убитым лицом и открыла гаражные ворота. Молодой человек на балконе — назовем его хотя бы Серго — вначале смотрел от скуки.

Блондинка заезжала в гараж так виртуозно бездарно, так упорно долбалась в один и тот же косяк, что развеселившийся Серго еле сдержался, чтобы не перегнуться через перила и закричать: «Руль выверни влево, курица!» А девушка уперто заставляла джипик взвывать, снова выезжала и опять заезжала, так что уже высунулись недовольные соседи.

Когда веселье приелось, Серго взял еще одну сигарету, и вдруг в его голове сложились два и два.

— Ма-ам! — позвал он. — В соседнем подъезде что за блондинка живет?

— Двести раз тебе рассказывала, — сердито отозвалась с кухни красавица-мама, бывшая волейболистка сборной страны, — кардиолог, Хатуна, она еще всегда нашу Весту за уши трепала. Сестра у нее еще есть, такая... огонь-девица. Не помнишь, что ли?

— Мама, я тут шесть лет не живу, — задумчиво отозвался Серго, выкинул сигарету и пронаблюдал, как точно поставила в конце концов машину терпеливая блондинка. — Ты ее номер телефона знаешь? А то она без меня пропадет вообще.

Далее было очень интересно: молодой человек позвонил Хатуне и пригласил на свидание. Ей никогда не звонили незнакомые молодые люди и не рекомендовались своими матерями. Она так удивилась, что пошла. То ли дежурство подруге дала, то ли отгул взяла — в общем, пошла.

Оба примерно одного возраста, не то чтобы очень юные, сидели и понимали — вот, это оно. Но если Серго это знал точно — все-таки программист, то кардиологу нужны были доказательства.

Серго безошибочно понял, что надо эти доказательства сфабриковать. Поэтому ровно неделю он каждый вечер выводил Хатуну в свет. То в парке гулять, то в концерты, то с друзьями в лес. Она так отвыкла от человеческой жизни, что немного сошла с ума. В конце недели Серго посадил ее за стол, дал мартини с оливкой и начал такую речь:

— Мне надо жениться. Ты мне подходишь. Времени у меня мало — еще дней пятнадцать. Сейчас ты думаешь, что я псих. Допустим, я сделаю тебе предложение, ты откажешься. Я уеду, мы будем год разговаривать по телефону и по скайпу, потом вернусь, и ты все равно дашь согласие. И только через го-о-од! — мы поженимся, познакомим семьи и начнем работать над ребенком.

Хатуна даже не покраснела, так ей вышибло последние мозги. Серго продолжал:

— А если мы поженимся сейчас и сразу начнем работать над ребенком, то через год наши дела будут намного более придвинуты вперед. Понимаешь?! Зачем откладывать?

Хатуна, ужасаясь сама себе, согласилась, потому что ей нечего было возразить, да и не хотелось, если уж начистоту.

И она в самом деле вышла замуж на двадцатый день после эпизода с гаражом и осталась ждать своего супруга с ребенком в животе. Ее родственники онемели от счастья и молча думали: вот это отмочила, тихоня наша! Молодые через год соединились и уехали уже втроем.

Идеальная сказочная история...

Сейчас она растит в тихом доме среди сосен дочку, похожую на волейболистку, встречает с работы своего Серго, мечтает о кардиологии, но не соглашается садиться за руль — так намучилась, говорит, пока ездила на работу.

НАТАЛЬЯ ДОМАНЧУК

Байки про Одну Женщину и Одного Мужчину, которые прожили вместе 25 лет и до сих пор друг друга не убили

1

Одна Женщина была безнадежно замужем уже двадцать пять лет. Безнадежно — потому что мужа своего до сих пор любила, боготворила, и не было никакой надежды влюбиться в другого. Дело в том, что этот Мужчина был у нее первым. А вот она не была у своего Мужчины первой. У него имелась какая-то Наташа (да, это ее настоящее имя). И иногда Мужчина вспоминал Наташу и спрашивал стол, стул и диван-кровать: как она там, интересно? Любит меня, наверное, до сих пор? Локти себе искусала в кровь или не в кровь?

И вот однажды он решил наконец-то найти ответы на все эти вопросы.

— Я организую встречу с одноклассниками. И позову Наташу.

Женщина уже хотела пуститься в истерику, как Мужчина добавил:

— Ты же пойдешь со мной? Ты же хочешь увидеть ее искусанные локти, чтобы потом не смеяться надо мной? И заодно понять, как тебе повезло в жизни!

О, Женщина хотела пойти с ним. Не для того, конечно, чтобы увидеть окровавленные передние конечности Наташи, а чтобы быть начеку, и если что, то эти конечности пообрубать, и мужу и Наташе.

В назначенный день Мужчина долго выбирал, какую рубашку ему надеть — черную или белую. Черная очень бы пошла к локоткам Наташи (красное и черное — ах!), а белая очень шла его довольному рылу. Локти Наташи перевесили счастливое рыло, и Мужчина выбрал черный строгий костюм, черную рубашку, которую расстегнул на три пуговицы, вылил на себя сто граммов «Эгоиста» и, взяв под руку Женщину, отправился на встречу.

Наташа уже ждала его. Подошла, посмотрела на Мужчину, кинулась ему на грудь (не зря, гад, три пуговицы не застегнул) и разрыдалась.

Мужчина очень сильно растерялся, смотрел то на Женщину, то на серую, жеваную панамку Наташи, то в потолок. Успевал, правда, что-то лепетать:

— Ну что ты, ну чего ты, ну зачем ты....

Наконец Наташенька успокоилась, отпряла от Мужской груди и подошла к Женщине.

— Вы простите, просто у меня сейчас в жизни такая жопа!

— Бывает, — сочувственно кивнула Женщина и попыталась сделать гримасу сожаления, но, наверное, у нее не получилось, потому что она думала, что было бы, если бы все женщины на свете, у которых в жизни «такая жопа», кидались на волосатую грудь Ее Мужчины...

— Если вы не возражаете, я останусь в шляпке, — кокетливо произнесла Наташа и натянула на лоб серо-коричневую панаму.

— Ну, как ты, рассказывай! — спросил любезный Мужчина и усадил Наташу на стул.

— Ой, да что тут рассказывать! Двое детей. Замужем. Муж... — Она замялась, потом, глубоко вздохнув, продолжила: — Муж лежит в психушке...

Ее исповедь прервала вторая одноклассница. Потом пришли три парня и еще одна девушка. Начались «А помнишь?», потом официант принес еду. Женщина слопала отбивную, запила ее кофейком и, наклонившись к Мужчине, прошептала:

— Дорогой, прости, но я немного устала. Я пойду домой?

Дорогой такого не ожидал. Он попытался сделать страшное и оскорбленное лицо. Три раза косился на панамку Наташи и не мог поверить, что любимая Женщина смеет оставить его наедине с этой серо-коричневой материей.

— Я правда устала, — честно призналась Женщина и, не дожидаясь, пока Мужчина начнет плакать и умолять ее остаться, покинула пределы ресторана.

Мужчина пришел домой за полночь. Разделся, пробрался в постель, обнял свою любимую Женщину:

— Ну что, поняла наконец-то?

— Еще бы, — вяло мяукнула Женщина.

— Вот-вот! Цени меня! Если бы не я —ходила бы ты сейчас в ужасной панаме и плакала, что у тебя жопа. Поняла, да?

— Я поняла другое. — Женщина повернулась к своему Мужчине и погладила его по голове: — Если бы не я, ты бы сейчас... лежал в психушке.

2

Одна Женщина была двадцать пять лет безнадежно замужем. Безнадежно — потому что супруга своего она очень любила, несмотря на то, что он был очень Странным Мужчиной. Ну, например, он не дарил ей подарки. Может, у него не было денег, подумаете вы?

«Скорей всего, мозгов!» — ответит вам Эта Женщина.

А может, он просто забывал, когда у нее день рождения? Или он был жадиной? Или просто не любил эту Женщину? — спросите вы.

Были у него деньги! И даты он помнил, потому что постоянно дарил себя. Один раз для этого случая даже купил красный большой бант, обвязался им и сразу после душа вручил себя со словами:

— А вот и я! И я весь твой!

И жадиной он не был, потому что покупал своей Женщине и кольца, и серьги с бриллиантами, и шубки, и вообще всё, что хотелось Женщине. Только просто так, а не на праздники. А Женщине хотелось праздника, ей хотелось ВНИМАНИЯ!

Поэтому, когда Женщине исполнилось сорок, а на пороге показался голый Мужчина в стойке «Как я прекрасен сегодня, и, заметь, я весь твой», Женщина пнула его ногой и убежала на работу.

Весь день она злилась и на Мужчину, и на себя — что живет с этим олухом столько лет и не может его воспитать.

Взрослая дочь как могла успокаивала мать:

— Ну хочешь, я тебе принесу еще один букет? За папу?

— Нет, — бурчала Женщина.

— Он же все равно тебе что-то подарит: или цепочку, или колечко...

— Когда?

— Может завтра, может, через неделю...

— А мне надо сейчас!

День бежал медленно. Когда его ненавидишь — он будто чувствует и длится вечность. Но пришло время возвращаться домой. Приехала Женщина и видит: Мужчина как обычно в гараже, целуется с ней, но лицо у него такое, словно он Мистер Вселенная с миллиардным выигрышем за голубистость глаз. Но глаза свои он прячет в пол и как-то странно улыбается, типа этот титул Мистер Вселенная не выиграл, а купил.

Заходит Женщина в дом, а на полу цветы. Разные! И полевые, ее любимые, и лилии... И разложены так красиво по коридору до самой спальни. А вся кровать засыпана красными розами...

Дочка на все это посмотрела и говорит:

— Я всегда говорила, что никогда не надо опускать руки, и даже самых безнадежных мужчин дрессировать, дрессировать и еще раз дрессировать.

А Женщина с ней не согласна. Мужчину надо любить. И может, когда-нибудь эта любовь и раскроется... Пусть даже через лет двадцать...

Ну и что, что с пинка. Раскрылась ведь...

3

Скандал — это искусство. И если Женщина им не владеет — ей лучше не скандалить или по крайней мере делать это редко, дабы в очередной раз не демонстрировать свой непрофессионализм.

Но не все Женщины это понимают. И не с первого раза.

Года четыре назад одним летним субботним вечером семейная пара поехала в гости к друзьям.

Поехали всей семьей. А когда они ехали куда-то всей семьей, то за рулем всегда была Женщина.

Потому что, во-первых, Мужчине-боссу по должности положено иметь личного шофера, а во-вторых, у Женщины, салаги, будет возможность получать ценные рекомендации, советы и уроки от «водителя с пятнадцатилетним стажем».

Как проходят эти самые уроки? Примерно так:

Мастер всегда полулежит, иногда ставит ноги на «торпеду» и постоянно комментирует вождение Женщины:

— Держи нормально руль.

Скорость 121—122 км/ч.

— Куда ты так гонишь? В машине, между прочим, находятся самые близкие тебе люди, и ты их подвергаешь опасности.

Скорость 118—119км/ч.

— Чего ты плетешься, как беременная? (Эта фраза вообще гениальная. Какие все-таки глубокие познания у Мужчин в области женской физиологии!)

На дороге, по которой Женщина ездит каждый день.

— Сейчас будем сворачивать, включи поворот. Всё, можешь отключить.

На той же знакомой дороге.

— Сейчас направо. Сейчас налево. Смотри — впереди светофор!!!

— Не смотри на меня, смотри на дорогу!

— Как ты въезжаешь в гараж?! С правой стороны двадцать три сантиметра, а с левой двадцать пять. Надо, чтобы по двадцать четыре с каждой! Давай я тебе покажу, как надо!!!

Так вот. В тот субботний вечер у Мастера было ужасное настроение. И так как страдать в одиночку он не желал — решил срочно поделиться им со своей Женщиной.

Всю дорогу он «учил» Женщину ездить, несколько раз выворачивал руль, чтобы она не наезжала на маленькие камушки, ругал, что она слепая, раз эти камушки не видит, и когда они наконец добрались до гостей, Женщину трясло.

Они зашли в дом. Хозяйка Галя (пусть ее будут звать Галя, хорошо?) их радостно встретила, мужики пошли в гостиную говорить о футболе, а Женщина с Галей на кухню — поболтать о своем, о девичьем.

И тут Женщина не выдержала — и разревелась. Она очень редко показывала слезы посторонним людям, но накал был таким, что она не сдержалась и выложила Гале всё.

71

— Сразу видно, что ты молодая и зеленая! —успокоила подруга. — Я сейчас тебя научу, как надо делать.

Женщина перестала реветь и внимательно уставилась на собеседницу.

— Когда мой Сережа — (пусть будет Сережа, хорошо? В семье не без Сереж) — не в настроении и явно хочет передать его мне, я делаю так: смотрю в упор, потом опускаю голову, считаю до десяти и говорю себе: «Он несчастный человек. У него было тяжелое детство. Его не любит собственная мать. Неужели я посмею обидеть этого и так уже обиженного человека?»

Галя уставилась на Женщину:

— Поняла?

Женщина пожала плечами:

— У моего не было тяжелого детства. И мама его любит...

— Конечно, — согласилась Галя, — каждый мужчина индивидуален и то, что подходит для Сергея, никак не подойдет для Васи. — (Да, назовем мужа Женщины вот таким именем!) — Надо пошевелить извилинами и придумать «басню» для твоего Мужчины.

— Давай! — обрадовалась Женщина, но сникла: — Даже не представляю себе эту «басню». Может, «Ты виноват лишь в том, что хочется мне кушать?»

— Нет, это не наша басня. Именно этой басней пользуются наши мужья.

— Даже не знаю... — задумалась Женщина.

— Ну ты даешь! — удивилась Галя. — Это же очевидно! Он, твой Мужчина, — БОЛЕН.

Женщина заволновалась:

— Да? Чем?

— Как это чем? Ты посмотри на него, у него же на лбу написано: Я — БОГ!

— Ну зачем ты так... Он намного скромней, чем ты думаешь, и называет себя просто ЦАРЕМ...

— Ой, да, в звании ошиблась... А ты хоть знаешь, как эта болезнь называется?

— Мания Величия? — предположила Женщина.

— Да. И это не лечится. Он неизлечимо болен!

— Так... и что я теперь должна делать? Пойти и сообщить ему об этом?

— Ни в коем случае. От больного надо скрывать болезнь. Покуда хватит сил — скрывать и ничего не говорить. И самое главное, когда он начнет тебя учить жизни, ты внимательно загляни в его глаза, вспомни, что он болен, и обязательно искренне его пожалей. Скажи так: «Бедный, несчастный Вася! Он такой больной, он такой неизлечимо больной! И самое страшное, он даже не догадывается о своей болезни. Неужели я сейчас стану спорить и доказывать ему, что он не прав? Нет. Я не буду обижать и так уже больного человека. Я ведь не зверь...»

— И ты уверена, что это поможет?

— У меня работает. У моей свекрови работает. У сотни подружек работает. И у тебя сработает. Главное — побольше сочувствия, и все будет хорошо...

И вы знаете, ее совет Женщине очень помог.

Если вдруг конфликт возникает дома, то Женщина быстро уходит в другую комнату, рассказывает себе басню, и сразу становится легче!

А в машине она научилась отключаться от комментариев своего Мужчины.

Когда машина въезжает в гараж, она сразу убирает руки с руля и дает «маэстро» возможность преподать ей еще один урок.

Мужчина с удовольствием исполняет номер, что позволяет ему подняться еще на ступеньку в своем величии. И, хотя Женщина по-прежнему неправильно держит руль, гонит, как «как беременная», «маэстро» ей вчера подарил свой старый брелок от машины.

Наверное, это многое значит...

Вот только что? Кто-нибудь знает?

ЕВА ДЗЕНЬ

Письмо из тюрьмы

Белый цвет идет всем. Когда голые уродливые ветки покрываются снегом, тяжелые мягкие хлопья укрывают облупленные скамейки и пожухлую траву праздничной скатертью, унылое серое безвременье сменяется сверкающей белой зимой.

Через несколько месяцев, как по команде, почки взорвутся белыми цветами и белоснежные деревья вереницей выстроятся вдоль дороги, прекрасные, как невесты. Все невесты без исключения становятся красавицами, стоит им надеть подвенечное платье.

Белый всем к лицу. Когда они впервые встретились, на нем была белая майка, лицо казалось подсвеченным, темные волосы блестели. Она влюбилась сразу. В темнеющем небе сияли первые звезды, черное море накатывало на берег зеленые волны. Влюбленные шли, держась за руки, по косому мокрому песку — один шаг короче, второй длиннее, и им казалось, что они созданы друг для друга.

Лето закончилось, и им пришлось расстаться. Юра ушел в армию, а Юля вернулась к учебе на втором курсе филфака. Они пообещали отправлять письма каждый день или хотя бы раз в неделю. Она заваливала его посланиями. Ей нравилось писать ему много, часто, щедро, как пишут дневник, обильно пересыпая тексты шутками, нежными словами и милыми мелочами.

На почту отправлялись письма-загадки, письма-шутки, письма в картинках, даже письма в виде свитков, не считая просто обычных писем. Он пытался отвечать на каждое, но не выдерживал темпа. Такого темпа не выдержал бы никто. Она мечтала, что через два года они встретятся, сложат свои и его письма вместе, по порядку, по датам, и переплетут, и книгу эту — в синей обложке с золотым тиснением — они будут держать на почетном месте, на полке с альбомами, и показывать издалека гостям, детям и внукам.

Чтобы оставаться влюбленными, видеться необязательно. Иногда это даже лишнее, реальность мешает идеализировать объект страсти. В некоторых странах считают, что жениху и невесте перед свадьбой стоит встречаться как можно реже, чтобы оттянуть момент разочарования. Любовь должна оставаться слепой.

Письмо из тюрьмы

Как-то в институте объявили конкурсный отбор на студенческую олимпиаду. Олимпиада проводилась в Киеве, а от Киева до Днепропетровска, где располагалась воинская часть номер 3021, всего одна ночь в поезде. Юля без труда выиграла конкурс. Им с подружкой, такой же книжницей, доверили представлять родной институт. Юля собиралась махнуть в Днепропетровск после соревнований, но Юра вдруг сообщил, что увольнительная у него только в субботу.

А в этот день — третий тур. Решающий! Юля колебалась недолго. Когда она объявила Ире Суслик, что ночью уезжает в Днепропетровск, та лишь захлопала глазами. И уже когда Юля неслась по коридору с сумкой, крикнула вслед: «А как же... конкурс?!»

Юра встретил её на вокзале. Форма ему шла, но делала каким-то чужим. На мгновение Юля заколебалась — что она делает тут, в другом городе, рядом с этим незнакомым солдатом. Но он обнял ее, и все стало как прежде. Как же приятно снова быть в кольце его рук! Тела их прижались друг к другу, и она отпрянула, ощутив бедром что-то твердое. «Это кобура!» — сказала себе Юля, покраснев. Но это была не кобура.

— Идём, идём! — Он подхватил ее сумку и потащил за руку к выходу.

Навстречу по перрону хлынула толпа, и Юля крепко вцепилась в его ладонь. Из привокзального туалета потянуло смрадом, из динамиков громкоговорителя неслось неразборчивое бормотание, часы показывали без двадцати три, хотя на улице смеркалось. Они пронеслись сквозь вокзал, пересекли сквер, обогнули скопление маршрутных автобусов.

Юля почти бежала, едва успевая за широкими шагами своего спутника. Дома расступались узкими проулками, мелькали дворы, подворотни пугали гулкой пустотой. На миг ей стало страшно, и тут они остановились как вкопанные перед небольшим двухэтажным зданием, на котором висела какая-то табличка. В темноте буквы расплывались, и Юля разобрала только слово «ДОМ».

Тяжелая дверь заскрипела, и они оказались перед большим столом, где вязала толстая вахтерша с суровым неприступным лицом.

— Здравствуйте, Жанна Аркадьевна! — поздоровался Юра, и в голосе его Юля услышала незнакомые заискивающие нотки. — Мы как всегда.

Женщина смерила их тяжелым взглядом, отложила спицы, грузно поднялась, сняла с доски один из ключей с биркой и бросила перед собой на стол.

«Что как всегда?» — удивилась Юля, но не успела додумать эту мысль до конца и тут же забыла об этом. Юра подхватил ключ и потащил Юлю в угол, к лестнице.

Длинный коридор второго этажа утопал в темноте. Выключатель щелкал, но свет не зажигался. Юра тихонько выругался.

Письмо из тюрьмы

— Подожди. — Юля достала новенькую зажигалку. Вместе с зажигалкой из кармана куртки выпала пачка ментоловых сигарет, и она тут же сунула их обратно, радуясь, что темно. Зажигалка быстро нагревалась, и они двигались на ощупь, высекая огонек перед каждой дверью. В седьмой раз неровное пламя высветило нужные цифры. Юра повозился с замком и распахнул дверь. Нашарил выключатель справа от двери. Свет ослепил Юлю.

Они оказались в узкой комнатке с двумя койками у противоположных стен. Их было не сдвинуть, панцирная сетка свисала, а в середине жестким горбом торчали два железных ребра. Тощие матрасы пришлось бросить на пол.

Голым она его уже видела — они два раза купались ночью обнажёнными. И потом лежали рядом на песке, завернутые в полотенце. У них больше ничего не было, Юля испугалась и не позволила. Ей тогда вдруг стало тошно, голова закружилась, во рту появился металлический привкус, и ноги стали ватными. Ей казалось, она никогда не сможет себя преодолеть, ее охватывала паника только при мысли о сексе. А без этого — она знала — у нее никогда не будет ни любви, ни семьи, ни детей. Но сейчас все было совсем по-другому, и она чувствовала, что наконец-то готова на большее.

«Меня лишают чести», — подумала она и улыбнулась, так не подходило это старинное, книжное выражение к тому, что между ними происходило. Оба молчали. Из подушек колючими пеньками торчали перья, сквозь тонкие матрасы чувствовался пол. Лампу выключили, и только тусклый свет звездного неба пробивался сквозь пыльную занавеску. В темноте его лицо казалось жестким и некрасивым, глазницы неприятно чернели провалами. Она закрыла глаза.

Он навалился на нее, и она почувствовала, что задыхается. Внутри всё сжалось, стало страшно. Захотелось сбежать, оказаться в другом месте и больше не проходить через эту пытку. Нееееет!

— Юль? Что с тобой? — спросил он, остановившись.

Она не могла говорить, горло перехватило, навернулись слезы. И тогда он снова заговорил:

— Послушай. Обними меня. Вот так. Положи ладони на спину. Я буду входить в тебя медленно-медленно, по миллиметру. Станет больно — подними ладони.

Больно не было. Мучительное, сладкое продвижение, казалось, длилось вечность, пока он не выдохнул ей на ухо — всё. Она только вздохнула, ошеломленная незнакомым чувством заполненности. Сердце замерло, будто она на качелях ухнула вниз. Он вжался в неё, и они стали единым целым. Ей хотелось застыть и раствориться в этих ощущениях, но он тут же двинулся обратно, и вообще больше не прекращал двигаться, все быстрее и быстрее, и привыкнуть к этому было невозможно, и постепенно она даже стала получать удовольствие от скольжения, трения и толчков.

Письмо из тюрьмы

...Юра тут же уснул, она смотрела в окно, на низкие, яркие звезды и думала. Наконец-то она смогла это сделать, и это было совсем не так ужасно, как ей представлялось. Теперь они по-настоящему вместе, и впереди у них счастливая долгая жизнь. Он вернется из армии, и они поженятся. Юлька уже знала, какое у нее будет свадебное платье, и продумала фасон до мелочей. Она колебалась, позвать ли ей в свидетельницы Иру Суслик, с которой они сблизились в институте, или же пригласить подружку детства Ирку из шестого подъезда, у которой Юля была свидетельницей в прошлом году. А еще нужно купить обручальные кольца, заказать тамаду и обязательно найти хорошего фотографа, ведь свадебные фотографии — это память навсегда. Дальше Юля пока не загадывала.

Спать вдвоем было непривычно. Юрка, оказывается, храпел, и Юля до утра лежала без сна, боясь пошевелиться, потому что его голова лежала на ее руке. Утром раскалывались виски, слипались глаза и болело плечо. Юлин институт лишился чести вместе с Юлей — из-за ее неявки на олимпиаде им присудили одно из последних мест. Ира Суслик не разговаривала с беглянкой целых две недели, но Юля решила, что это того стоило.

Вечность длиной в два армейских года закончилась. Заявление в загс они переписывали три раза. Когда Юля увидела бланк, она чуть не расплакалась. Юрке его фамилия шла, ей — нет. Она быстро, с невиданным ранее напором уговорила жениха поменять фамилию Лахно на Лебедев. Потом уже Юра долго смотрел на свое новое имя. Они одновременно представили глаза его отца, и Юра отправился к хмурой регистраторше за чистым бланком. В конце концов решили ничего не менять, и каждый остался при своей фамилии. А инициалы у них и так были одинаковые.

До армии Юра был кандидатом в мастера спорта по тяжелой атлетике и после демобилизации сразу вернулся в спортзал. В институт поступать в этом году уже было поздно, и он неторопливо подыскивал себе временную работу.

Тренер предложил небольшую подработку телохранителем. Охранять пришлось известного криминального авторитета, и вскоре Юра уже ездил на сходки братков, носил в сумке нож, палку с цепью и черную шапку с дырками для глаз. Юля готовилась к свадьбе, составляла список гостей, спорила с мамой из-за фасона платья и ничего не замечала. Даже когда он притащил целую груду самоварного золота, вывалил на стол тяжелые цепи, массивные кольца, какие-то украшения, все грубое и тяжелое, и широким жестом предложил — выбирай! Даже тогда Юля ничего не заподозрила. Ей пришлось впору только тоненькое серебряное колечко с янтарем. Юра подарил ей это кольцо, а все остальное куда-то отнес. Юля не была дурой, просто в ее картине мира некоторых вещей не могло происходить никогда.

В день свадьбы Юля сидела у него дома, в его комнате, и методично напивалась, заливая в себя горькое, как лекарство, спиртное. Юра не появлялся уже три дня, и Юля знала, что между ними все кончено, но все-таки надеялась на лучшее — что его ударили по голове и он в беспамятстве лежит в больнице. Или его сбила машина, или смертельно ранило случайной пулей. Но с ним, к сожалению, все было в порядке. Отношения разладились незаметно. Юля старательно игнорировала тревожные звонки, но не заметить Юрино увлечение стриптизершей она не могла. Их первая встреча произошла у нее на глазах. Она захотела в театр, и Юра купил билеты... в театр стриптиза.

В темном зале полукругом стояли стулья, на небольшой сцене высился шест, вокруг которого по очереди извивались полуголые девушки в откровенных костюмах и полумасках. Среди публики больше не было женщин; стульев не хватало, и она устроилась у Юры на коленях.

Вдруг музыка оборвалась, и Юля услышала тяжелое дыхание сидевших вокруг нее мужчин. Она тоже обратила внимание на миниатюрную блондинку с остреньким подбородком, которая танцевала прямо возле их стула. А потом она увидела их вдвоем в стеклянной витрине модного ресторана «Макдоналдс», и отмахиваться от очевидного стало невозможно.

Под окнами засигналили лимузины, их забыли отменить в горячке выяснения отношений. Юля вышла на балкон и посмотрела вниз. Возле машин объяснялся с шоферами несостоявшийся свекр. На лимузины еще не успели навязать белые ленты, и сверху они походили на катафалки. Ей вспомнился обычай хоронить незамужних девушек в свадебном платье, и она подумала — это будет быстро и платье опять же пригодится.

Юля перегнулась через перила, подтянулась. Сзади на нее вдруг набросились. Юркина мама схватила ее за плечи и оттащила в комнату, причитая:

— Да ты с ума сошла, девочка моя, да разве можно так?

Юлька разревелась, и рыдала ей в колени, и косточками позвоночника чувствовала, как ее тихонько гладят по спине мягкой рукой, и от жалости этой становилось еще горше.

Письма Юры она сожгла в старом тазике на балконе, костер вышел небольшим. Дурочка, она хранила все его послания, складывала их по порядку в коробку, нумеровала. А ее письма, целый чемодан, он не сберег, потерял на вокзале в угаре пьяного дембеля. Она вынимала листочки из конвертов, перечитывала их в последний раз, рвала на мелкие клочки, и казалось, что ее жизнь превращается в пепел. Глаза механически пробегали по строчкам, выхватывая отдельные слова. «Милая», «Люблю», «Не могу дождаться нашей встречи». Всё это была ложь, и лучше внушить себе, будто всего этого на самом деле не было. Но в шкафу укором висело подвенечное платье, и каждый раз, открывая дверцу, Юля вспоминала свой позор.

А вокруг полыхала свадебная осень. Дотерпев до пятого курса, подружки и одноклассницы одна за другой выскакивали замуж. Радостно сигналя, по городу раскатывали вереницы украшенных ленточками лимузинов, у вечного огня паслись невесты с цветами, заставляя идти в институт другой дорогой. Юля погрузилась в свое горе. Она знала, что у нее никогда не будет белого платья, торжественного бракосочетания и криков «горько». Так и получилось. Свадьбу они с Марком не делали, просто сходили расписаться в загс, когда уже невозможно стало тянуть. Ожидая своей очереди в регистрационный зал среди сверкающих невест, Юля прикрывала живот курткой и чувствовала себя счастливой.

Прошло несколько лет, и на адрес Юлиных родителей пришло письмо. При виде знакомого почерка Юлина мама не поверила своим глазам. Ольга Андреевна вспомнила, как дочь неподвижно лежала ничком на кровати, повернувшись к стене. Как по ночам тайком курила на балконе, глядя на звезды, спальню заполнял мятный дым, залетавший в окно, а они с отцом делали вид, будто ничего не замечают.

Ольга Андреевна поколебалась, держа в руках серый конверт, покосилась на дверь в соседнюю квартиру, где раздавались обиженные вопли внучки Тошки, в которые вплетался терпеливый голос Юли, и решительным жестом вскрыла письмо. Прочитала, покачала головой, брезгливо поморщилась и засунула конверт между книг на верхней полке, куда никто никогда не заглядывал.

Через неделю начались студенческие каникулы, и Юлькин брат полез за словарем, чтобы проверить, как пишется слово «пенитенциарный». Письмо спланировало сверху и упало на ковер. Мать коршуном бросилась подбирать, но Илья успел раньше. Ее выдало лицо. Илья ужасно возмущался. Он кричал, что не ожидал такого от родной матери, что чужие письма вскрывать некрасиво, а уж тем более — скрывать их от адресата. Ольга Андреевна хваталась за сердце, пила капли, но ей пришлось пообещать: Юля получит свое письмо сегодня же.

Юля была заинтригована. Мать вела себя странно, у нее вдруг завелись секреты. Она отозвала Юлю на балкон, и мир обрушился. Затаив дыхание, Юля слушала пересказ письма от бывшего жениха. Юра писал из тюрьмы. Его письмо было прекрасно. В нем были все правильные слова, о которых Юля мечтала когда-

86

то, вроде «прости за то, что я с тобой сделал», «бес попутал», «я думаю о тебе каждый день», «я до сих пор вспоминаю твои письма» и тому подобное. Юра желал Юле счастья, умолял простить и забыть его навсегда.

— А где же само письмо? — очнувшись, спросила Юля.

Мать зарыдала. Письмо пропало с зеркала в прихожей самым таинственным образом. Наверное, его сгребли вместе со старыми газетами и по ошибке выкинули в мусор.

— А почему ты его прочитала? — подозрительно спросила Юля.

— Так ведь почерк-то у твоего бандита сама помнишь какой! — вытерев слезы, пошла в атаку мать. — Вместо букв — одни закорючки, не разберешь, то ли Юля, то ли Оля... И как он школу закончил, с таким-то почерком?

— Мама, сколько раз тебе повторять! Он не бандит! И он не мой!

Юля извелась. Каждый день она вспоминала разговор с матерью и думала о потерянном письме. В ее воображении переданные матерью слова дополнялись новыми, текст письма выстраивался заново и звучал, как Песнь Песней. Это было как наваждение, и Юля целыми днями ходила погруженная в эти переживания. Ее сердце пело и трепетало. Он вспомнил про нее! Он ее любил! Он ее любит! Он сидит в тюрьме, бедный,

бедный! Материнского пересказа было недостаточно, ей необходимо было прочитать это письмо самой, подержать в руках конверт, закрыть глаза и вдохнуть запах бумаги, украдкой поцеловать подпись и представить себе, что он — там, на другом конце письма, — сделал то же самое. Хотелось сочинить сухое, вежливое и холодное письмо, сдержанно и с достоинством рассказать про свою счастливую семейную жизнь (пусть почувствует, чего лишился!), вежливо спросить, как дела в тюрьме, разузнать, за что его посадили, и строго-настрого запретить отвечать (по крайней мере, на домашний адрес), но обратного адреса у Юли не было и писать было некуда.

Юля подозревала, что письмо на самом деле не пропало. Случайно выбросили! Ха! Как будто она не знает свою мать! Если хорошенько прочесать родительскую квартиру, пропажа наверняка обнаружится в каком-нибудь потайном местечке.

Она выбрала день, когда все семейство на родительском «жигуленке» отбыло на дачу полоть сорняки и собирать смородину, и осталась дома, пожаловавшись на головную боль. Проводила всех и хватилась ключа от родительской квартиры. Она подошла к соседней двери и несколько раз нажала на кнопку звонка. Если Илья дома, он поймет и поможет искать спрятанное письмо. Но не было слышно ни шороха. Она пару раз в сердцах пнула дерматиновую дверь и вернулась домой.

Письмо из тюрьмы

Поколебавшись, вышла на балкон. Смежные балконы разделяла только тонкая бетонная перегородка. Юля принесла табуретку, поднялась на нее и села на перила. Крепко ухватилась за перегородку и перекинула ногу на другую сторону. Из-за жары балконные двери были открыты настежь. Она толкнула дверь маленькой спальни и вошла.

На большой родительской кровати, занимавшей почти все пространство комнаты, сплелись два обнаженных тела. Юля ненадолго ослепла. С кровати, прикрывшись носком, вскочил брат. Женщина спряталась под одеялом. Юля старалась смотреть в сторону, но эти двое были везде, поэтому она почти уткнулась носом в дверцу шкафа.

— Ты! Ты! Что ты тут делаешь?! Как ты вошла? — закричал брат.

— Я за письмом, — растерянно сказала Юля. — От моего жениха.

Одеяло захихикало. Илья метнул на кровать грозный взгляд, и Наташка с пятого этажа застыла и сделала вид, что на кровати лежит только одно одеяло. Юля с детства терпеть не могла эту выскочку, и ее чувства были взаимны.

— Она что, не отдала его тебе? — удивился брат. — Ну, мать!

Наташка оделась и ушла, а Юля с Ильей перерыли весь книжный шкаф, перетряхнули документы в секретере, проверили даже сумку, с которой мать ходила на работу. Письма нигде не было. Юле пришлось уйти не солоно хлебавши. Возвращаться пришлось через балкон — отправляясь на штурм родительского дома, она не захватила собственные ключи.

Юля не знала, что ей делать. Ненаписанный ответ на неполученное письмо пеплом Клааса бился в ее сердце, лишая сна и покоя. Брат потихоньку продолжал обшаривать родительскую квартиру, но ничего не находил. И тогда Юля решилась на отчаянный шаг — позвонить Юркиным родителям.

Юра вырос в интеллигентной семье — папа венеролог, мама гинеколог, а дедушка — известный украинский писатель, почти классик. Когда Юлю привели знакомиться к деду, Юркина мама намекнула, что неплохо бы подарить невестке двухтомник. Квартира казалась огромной, книжные шкафы уходили в потолок. Юля рассматривала картины на стенах и пыталась угадать, сколько тут комнат. Бабка строго посмотрела на нее и негромко сказала: «Пусть сперва поженятся». Юля тогда даже не обиделась — понятно же, их с Юрой брак вопрос ближайшего времени, никуда эти книжки от нее не денутся. Но дедов двухтомник ей так и не достался, и она потом с горечью думала, что бабка была права — на всех Юркиных девушек книжек не напасешься.

По вечерам из соседней спальни доносилась негромкая монотонная речь — его родители по очереди читали друг другу вслух, и Юле это казалось идеальным семейным ритуалом. Выйдя замуж, она тоже попыталась ввести в обычай вечерние семейные чтения, но сложилось только с короткими детскими книжками.

Номер домашнего телефона бывшего жениха Юля все еще помнила наизусть. Эмоционально окрашенная информация порой врезается в память навсегда, занимая почетное место в центральной доле мозга. Юля не помнила наизусть ни одного телефона, даже номер собственного мобильного запоминала полгода, но эти восемь цифр она могла повторить даже во сне.

Его мама узнала Юлю сразу. Они поговорили, и через десять дней она получила точную копию письма, сгинувшего от материнской цензуры. Юля ждала его прибытия с нетерпением, каждый день она высматривала в окно неторопливого, как черепаха, почтальона.

От вида прозрачного окошка в почтовом ящике становилось пусто в груди, но еще хуже вместо письма было найти там газету — ложная надежда, разочарование, обман.

Дни тянулись в нетерпеливом ожидании, время измерялось ежедневным прибытием почты. Юля жила как во сне, едва обращая внимание на докучливую повседневность, и ночами сочиняла сама себе страстные послания, от которых сладкими судорогами сводило низ живота.

Ева Дзень

И письмо пришло! В окошке белел конверт, и у Юли чуть не остановилось сердце. Она спустилась на ватных ногах и открыла ящик дрожащими руками. Маленький белый конверт с цифрами вместо обратного адреса — точно как когда-то, только раньше это был номер воинской части, а сейчас номер почтового ящика исправительного учреждения. Юля не помнила, как поднялась в квартиру, как вскрыла письмо, жадными глазами мгновенно вобрав в себя всю страницу. Она проглотила его, почти не понимая слов, и тут же начала читать снова. И снова. И снова.

Она перечитывала его до тех пор, пока слова не потеряли значение и не проступил смысл, который прятался за ними. В лагерях есть таланты, которые сочиняют изумительные тексты, зэки их переписывают и пачками рассылают потенциальным невестам, но это письмо, похоже, Юра написал сам, и для Юли каждое его слово содержало скрытый намёк.

«*Юлька! Милая моя девочка! Только здесь я понял, ЧТО ты значила для меня. Ты была для меня путеводной звездой, и как только я тебя потерял — сбился с пути. Здесь я редко вижу звёзды — днём их нет, а в девять отбой, загоняют в бараки, а в бараках окна маленькие и они высоко под потолком. Да ещё решётка на них. И козырёк. Но если в октябре в половине второго ночи встать к правому углу печки, то можно увидеть свет звезды. Я не* знаю, как она называется, но я смотрю на нее и думаю о тебе».

Где-то вдалеке звонил телефон. Юля отмахнулась от него, как от мухи, и продолжила читать.

«Вчера Глеб, мой сосед по ярусу, получил посылку. Ну, сама знаешь, что сюда обычно шлют: конфеты, колбасу твёрдокопчёную, чай, печенье, сгущенку, консервы. Мы с Глебом как братья, он предлагал поделиться, я отказался. И не потому, что не голоден (есть здесь всегда хочется, на казенных-то харчах), и не из гордости, просто Глебу еда нужнее — он громадный как медведь. А я перетерплю...»

Ее руки опустились, и взгляд упал на вазу с шоколадными конфетами, стоящую на столе. Юля почувствовала себя преступницей. Как все несправедливо! Как ужасно!

«На прошлой неделе к Ване Супруну приезжала невеста. Три дня провели в гостевой камере. Он будто переродился. Ходит и улыбается, улыбается. Я ему по-хорошему завидую. Вспоминаю твои руки — хрупкие, узкие ладони с нежными пальцами. Хочется взять их в свои и долго-долго наслаждаться твоим теплом. А потом ходить и улыбаться, как Ваня Супрун...»

В уме Юля уже разрабатывала план действий. Сперва посылка, а потом она скажет мужу, что едет в командировку. Господи, какая командировка у воспитательницы детского садика? Эх, надо было ей идти в школу, там хотя бы конференции учительские бывают. Повышение квалификации? Заочные курсы? Встреча выпускников? Или сразу выложить всю правду, и будь что будет?

Телефон настойчиво звонил. Юля механически протянула руку и сняла трубку.

— Алло?

Это была Суслик. Юля обрадовалась — вот человек, с которым можно обсудить побег! Но Суслик была чем-то взволнована и не дала Юльке вставить даже слова:

— Юлька, привет! Ты не представляешь, что я узнала! Помнишь Светку из третьей группы? Ну, ту, с которой ты отдыхала на море, когда вы с твоим... то есть не твоим, а просто бывшим, ну, Юрой, помнишь? Она еще на него заглядывалась, но он смотрел только на тебя. Я ее встретила только что, случайно, она на один день приехала, за документами. Ты не представляешь, что Светка мне рассказала! Прикинь, он написал ей из тюрьмы! Его в тюрьму посадили, ты представляешь? Юлька, оцени, как тебе повезло — если бы вы поженились, ты бы сейчас была женой зэка! Ха! Только она просила ни в коем случае тебе не рассказывать, но как я могу? Так вот, твой Юра написал ей такое письмо! Оказывается, она ему всегда нравилась! Он ей написал, что она его путеводная звезда! Она мне даже дала почитать — такое хорошее письмо. Тебе же, я надеюсь, все равно? Представляешь, у него мечта — увидеть звёздное небо. Он же звёзды не видит. Только в половине второго ночи, если встать у печки, можно увидеть звезду. И эта звезда напоминает ему о Светке. Юлька, ты представляешь, эта коза уже ему посылку отправила и собирается ехать на свидание, отпуск приехала оформлять!.. А ты знала, что он сидит?

В дверь позвонили.

Юля попрощалась с подругой и пошла открывать. На пороге стоял брат, торжествующе помахивая белым конвертом. Учеба на факультете криминалистики научила его профессионально проводить обыски. Илья разделил родительскую квартиру на квадраты и прочесывал их один за другим. Письмо обнаружилось в чехле со свадебным платьем. Расчет был точен — Юля никогда бы не прикоснулась к этому наряду, даже если бы от этого зависела ее жизнь.

Брат отдал Юльке письмо, ей пришлось изобразить радостное смущение.

— Ну ладно, не буду тебе мешать. Ты уж извини, я в него заглянул одним глазком. Хорошее письмо. Наслаждайся!

Он чмокнул Юлю в щеку, повернулся и ушел, фальшиво напевая «Две звезды, две светлых по-о-о-вести».

Ева Дзень

Два письма оказались абсолютно одинаковыми и не отличались даже запятой, будто их штамповал автомат. Светкино письмо наверняка было точно таким же.

Чтобы сжечь их, тазик не понадобился, хватило и пепельницы. Юля достала из ящика с бельем пачку ментоловых сигарет и закурила. Выдохнула сладкий дым, стряхнула пепел в остатки костерка и включила чайник. Суслик права, все-таки ей повезло, причем повезло даже дважды — в том, что она не успела выйти замуж за Юру, и в том, что первое письмо украли и она не успела сбежать в тюрьму на свидание.

...В двери повернулся ключ. Вернулся муж, привел дочку с прогулки. Тошка с разбегу запрыгнула матери на колени и прижалась к ней крепко, Марк поцеловал ее в щеку и пошел к холодильнику. Юля обнимала дочку, смотрела, как муж вытаскивает из сумок палку копченой колбасы, синюю банку сгущенки, пачку грузинского чая, сардины в масле, любимое Тошкино печенье, и думала: «Бог ты мой, как же хорошо...»

Юля так и не написала Юре. Зато у истории их отношений в глазах ее родителей и брата появился совсем другой финал, не такой обидный и даже лестный — «через несколько лет, когда она уже была счастливо замужем и воспитывала маленькую дочь, он написал ей из тюрьмы. А она ему не ответила». А всего остального знать им было не обязательно.

ЕВГЕНИЯ ГОРАЦ
Букет

Одна женщина, русскоязычная американка, румяная, пышная и голубоглазая, назовем ее Инной, — села ранней весной на диету, чтобы подготовиться к пляжному сезону. Пришла она как-то с работы, сердитая и голодная, как это обычно бывает на диете, мечтая поскорее поужинать разрешенными огурцами. Открывает дверь и видит, что в гостиной на столе — букет невероятных размеров, составленный из всех цветов сразу. Лотосы, амариллисы, орхидеи, розы, лилии... Вообще, все цветы, что бывают в лучших магазинах Нью-Йорка на Вест-Энде у Центрального парка. А в кресле сидит насупившийся муж — это выражение лица Инна хорошо знала! — было ясно, что он ревнует.

— Это тебе, Инна, — кивает он на букет. — Только что доставили.

— От кого?

— Видимо, от твоего бойфренда, — еще больше насупился муж. — С Восьмым марта он тебя, видимо, поздравляет.

— Какого еще бойфренда? — пробормотала Инна, похолодев и только сейчас сообразив, что сегодня Женский день по полузабытому российскому календарю.

Вторая мысль связала букет с Раулем, давно влюбленным в нее менеджером отдела маркетинга. От волнения Инна даже забыла, что голодна. Но вторая мысль была уничтожена третьей — Рауль, американец в четвертом поколении, вряд ли подозревает о подобном празднике. К тому же он строг и аскетичен, и его облик никак не вяжется со столь пышным набором красок. Правда, он мог посоветоваться с ее соотечественниками, и те объяснили, как принято поздравлять с Восьмым марта, и даже букет помогли бы выбрать. После некоторых колебаний Инна все-таки решила, что он не такой идиот, чтобы посылать домой цветы, и даже не такой пылкий кабальеро, чтобы тратить кучу денег на неизвестный ему праздник. А если так, то совесть ее чиста. Инна немного воспряла духом.

— А откуда доставлен этот букет? — поинтересовалась она невинно.

— Из цветочного магазина, — ответствовал муж.

— А кто его доставил?

— Мужчина.

— А как он выглядел?

— Как посыльный из цветочного магазина.

Букет

— А что сказал?

— «Пожалуйста, получите букет для женщины, которая живет в этой квартире». Поскольку других женщин в квартире нет...

— А есть ли там открытка?

— Есть. Сама посмотри.

Муж по-прежнему был краток и суров.

Открытка была под стать букету — бархатная, с кружевами, ракушками и перьями, расписанная золотыми розами и павлинами. И стихи, несколько нескладные и витиеватые, о том, как «он благодарен жизни за моменты, о которых она сама должна догадаться». И приписка: «Всего наисущего!» А в завершение размашистая подпись с невероятными завитушками: «Твой Вольдемар».

Инна успокоилась окончательно. Во-первых, это точно не Рауль. Во-вторых, среди ее знакомых не только не было человека по имени Вольдемар, но и вообще никого, кто выражался бы подобным образом.

— Послушай, а тебе не приходило в голову, что посыльный ошибся квартирой? Может это кому-то другому, тоже на нашем этаже? — спросила Инна.

— Интересно кому? Берте, что ли? — хмыкнул муж, имея в виду престарелую соседку, которая то и дело забывала выключить газ или воду. — Других русскоязычных дам на нашем этаже нет.

Обостренный голодом и волнением мозг подсказал Инне следующее. Ее квартира под номером «5 С» находится слева от лифта. Посыльными при магазинах работают обычно нелегалы, плохо владеющие английским. Букву «C» они могли спутать с буквой «G». Квартира «5 G» была расположена симметрично — слева от лифта.

И Инна решительно направилась в квартиру «5 G».

Дверь открыла приятная молодая женщина — стройная как березка, а с кухни доносились кружащие голову ароматы жареного мяса. Слово «диета» хозяйке квартиры «5 G» явно было неведомо. Коридор был заставлен многочисленными коробками и ящиками.

— Извините, — начала Инна, — с Восьмым марта вас. Вы наша новая соседка?

— Да, я только переехала.

— Вы знаете этого человека? — Инна показала открытку.

— Да, — тихо ответила женщина и скромно потупилась.

— Ну, так заберите ваш букет, а то у меня из-за него неприятности.

Красная от смущения, новая соседка поскакала за Инной и, войдя в квартиру «5 C», увидела цветы, вспыхнула от радости, смутилась еще больше и, взяв свой букет, зарылась в него лицом. Потом поблагодарила и тихо направилась к двери.

Проводив ее, Инна вернулась, чувствуя, как раскалывается голова.

— С Восьмым марта! — вдруг как ни в чем ни бывало воскликнул муж. — Да, кстати, я купил шоколадный торт из мороженого, твой любимый. Он в морозилке.

— Ах, торт из мороженого! — вскинулась Инна. — Разве ты не знаешь, что я на диете? Ну, я тебе это Восьмое марта запомню надолго!

Они все-таки сели за стол и, несмотря на диету, открыли шампанское, и Инна закусила разрешенными огурцами, но настроение было испорчено окончательно. Нет, не у мужа. Он-то как раз заметно повеселел. У Инны. Ведь ни муж, ни ухаживающий за ней американец, да и вообще никто другой ей никогда букетов не дарил — пусть и столь безвкусных и стихов, пусть и нескладных, не писал на открытках, пусть и столь аляповатых.

Засыпая, Инна думала: «Успокойся, детка, все нормально. Мы живем себе, и у нас все хорошо. Конечно, не считая того, что я периодически вынуждена сидеть на диете. А та соседка — явно одинокая, хоть слово "диета" ей вообще неведомо».

Шкаф

Один мужчина очень ревновал свою жену. Возможно, что небезосновательно. Но может, и чепуха всё. Но как-то он решил положить конец терзаниям и узнать наконец, есть ли у него для ревности основания. Он объявил, что собирается в очередную командировку, причем сообщил за неделю до назначенной даты, чтобы у подозреваемой было время подготовиться и с любовником, если таковой имелся, заранее договориться.

И вот он сложил дорожную сумку, взял приготовленные супругой бутерброды, чтобы перекусить по дороге в аэропорт, попрощался и отчалил. А сам выждал, пока она уйдет на работу, тихо вернулся домой и спрятался в спальне, в платяном шкафу.

Вообще поводов для ревности у него было больше чем достаточно. Жена училась в колледже, приходила поздно, уставшая, и сразу ложилась спать. А однажды, он в поисках авторучки открыл ее портфельчик и обнаружил там кондомы! Растерянно моргая, она долго соображала, какие враги их подбросили. Потом, хлопнув себя по лбу, вспомнила, что в студенческой поликлинике, куда она заходила за справкой, стояла целая корзинка бесплатных образцов, и она взяла горстку, забросила их на дно сумки и забыла о них — занятий много было, сессия, и вообще — дела.

Но добил мужа совсем уже нелепый случай. Они позвали гостей, а он не успел вернуться из командировки. Ну, жене и пришлось принимать друзей без него. А когда он заявился домой ранним утром, то обнаружил в кресле крепко спящего визитера. Одетого, правда, но все равно подозрительно: может, успел, сволочь, одеться, а убежать — не получилось, вот и притворился, гад, что дрыхнет. Умный, видать, сука.

Жена объяснила, что все было в порядке, — вечер удался, гости разошлись веселые и пьяные, она проводила их до метро. А когда вернулась, то обнаружила, что один гость остался — спал, запрокинув голову, вытянув ножищи на полкомнаты и сладко похрапывая. Попытки его разбудить успехом не увенчались. Она-де трясла его, звала по имени, по фамилии — бесполезно.

Полночи она убирала со стола, ходила мимо, громко топая, мыла посуду, изо всех сил грохоча кастрюлями, заводила будильник и подносила к уху наглеца — все бесполезно. А надо сказать, что именно этот гость был статен, красив и список у него был донжуанский еще тот. Так что сказки о сладком похрапывании сукина сына мужа не убедили.

Пока жена оправдывалась, ловелас проснулся, огляделся по сторонам, попросил на завтрак немного водки и тут заметил мужа. По-видимому, он сообразил, в каком неловком положении оказался, со своей-то репутацией, и сразу перешел в наступление.

— Безобразие! — вскричал он, обращаясь к хозяину. — Приходишь, понимаешь ли, к тебе в гости, а тебя дома нет!

«Может, так оно все и было, — думал муж, сидя в шкафу на заранее сложенном одеяле. — А может, и нет, и он давно у нее в любовниках. Вот сейчас и проверим».

Евгения Горац

Жена пришла домой. По звукам Отелло понял, что направилась в душ. «Ну, точно, к свиданию готовится», — горько вздохнул он.

Потом она долго возилась на кухне — по звону посуды он гадал, варит ли она вермишель или чистит картошку. Затем в щель дверцы шкафа просочился аппетитный аромат — разогревались вчерашние котлеты. У него заурчало в животе, он, тихо развернув свои бутерброды и принялся жевать их в кромешной тьме, стараясь не чавкать, почти не чувствуя вкуса.

Жена тем временем включила телевизор — она обычно ужинала, поглядывая любимые сериалы, — это было страшно скучно. Зато потом он смог прослушать вечерние новости.

Подал голос телефон, и ревнивец напрягся, даже чуть приоткрыл дверцу шкафа, чтобы не пропустить ни слова. Но по разговору понял, что звонила теща. Жена долго обсуждала с ней каких-то знакомых и уточняла рецепт необыкновенно быстрого пирога. «Наверное, испечь к его приходу хочет», — печально подумал муж, пытаясь размять затекшие ноги.

Пару часов было тихо — видно, жена читала учебники. Наконец она вошла в спальню, легла в постель, погасила верхний свет, включила ночник и продолжила чтение — он даже слышал шелест страниц. Через некоторое время она и ночник погасила. Кровать поскрипела немного, видно, супруга укладывалась поудобнее, и всё замерло.

И тогда он решил выйти из шкафа. Понял, что она никого не ждет, по крайней мере сегодня, да и в туалет очень хотел.

И вышел.

И она, поскольку не успела уснуть, от страха заорала во весь голос.

И орала все время, пока он шарил в темноте в поисках включателя.

А потом он ее до утра отпаивал валерьянкой.

И обмахивал полотенцем.

А потом они жили себе дальше, и все у них было хорошо.

Но ждала ли она кого-то в тот день на несостоявшееся свидание или не ждала, или вообще некого было ждать — об этом он так и не узнал.

Котел

Она резала мясо кубиками, грибы ломтиками, лук колечками, овощи соломкой — как рецепт того требовал, — зубчики чеснока дробила мелко, и все по очереди в котел закладывала, в нужном порядке.

А сама все в окно смотрела — уж очень хотелось его силуэт заметить издалека.

В дверь все звонили, гости входили, раздевались в прихожей, шутили, вручали цветы, чмокали в щеку, звенели бутылками... Уже все собрались, а его все не было.

Зелень и пряности она добавила в блюдо под конец согласно рецепту. Огонь выключила, котел встряхнула и крышкой плотно накрыла, чтобы дать блюду настояться.

А его все не было.

Она лепешки в духовке подрумянила. Блюдо огромное достала и по краям листики петрушки и кружочки помидоров выложила.

В последний раз в окно глянула — нет его!

А гости ложками стучали и кричали: «Ну когда уже? У нас головы кружатся от запахов таких аппетитных!»

Но она выдержала положенное время, чтобы аромат пряностей проник во все составляющие, крышку сняла с котла, на блюдо все выложила горкой и внесла в комнату.

В тот момент ему бы и прийти...

Все выдохнули — и «Ах!» воскликнули.

А потом — тишина. Жевали молча, вино холодное пригубливали, лепешками горячими и румяными соус подбирали.

И молчали, молчали... А потом аплодисментами взорвались. И добавки попросили.

А он так и не пришел.

Она вина тогда выпила больше обычного, глупостей всяких наделала и проснулась утром с другим, и с головной болью.

Слышит — шаги в коридоре. Он — как был — в сапогах и пальто на кухню прошел, следы грязные на полу оставляя.

Котел

Она выбежала к нему.

А он крышку с котла снял, попробовал, поморщился и...

— Ну какая же гадость! — И сплюнул.

— Милый, ты же воду попробовал, которой я котел грязный залила, чтобы отмыть легче было!

КОНСТАНТИН КРОПОТКИН
Набор

Набор был небольшой. Как шесть спичечных коробков, составленных в два ряда, и толщиной приметно с коробок.

Ну, или с палец.

У него была крышка, сделанная, наверное, из спрессованных красных блесток. Пурпурно-красная и переливчатая, как любят китайцы.

Это был китайский набор. Его привезли из Китая, а прежде в Китае сделали: заварили каких-то красок, смешали с чем-то, похожим на вазелин, — так и получилась разноцветная субстанция. Там, внутри коробочки, был и светло-зеленый, и синий, и почти белый, и фиолетовый. Буйства красок я не помню — помню только вазелиновый жирный блеск.

Набор был первым, который она купила. Первым — таким. Кроме разноцветных квадратиков там лежала кисточка (или даже две: волосинки были собраны в пучки с обеих сторон этой тонкой, чуть больше спички, палочки).

Она купила набор — в «комиссионке». Еще одно слово, которого больше нет, а им она называла место, которого тоже уже нет, которое Ленка, дочь, старшая из двоих ее детей, именовала «комком» — то есть «коммерческим магазином». То есть дело было в те времена, когда советское госимущество еще только начинали раздирать на части, но до этого не было дела ни ей, ни веселой веснушчатой Ленке, которая училась в выпускном классе, мечтала танцевать всю жизнь напролет, не зная еще, что поступит она в медучилище. А после него будет работать в больнице, а далее пойдет в госпиталь — в армию, — будет там служить, и будет делать это хорошо, чего не скажешь про ее младшего братца, который в армию не пошел, но на момент нашей истории о временах столь отдаленных не думал вовсе.

Они его не интересовали.

В детстве мир меньше в реальном смысле, но больше в метафизическом. Ты знаешь, что время еще есть, и чувствуешь огромное пространство вокруг, а еще странную сдавленность. Скоро — думаешь какой-то отдаленной тонкой мыслью — «оковы тяжкие падут, темницы рухнут, и сво-бо-да».

А у нее был набор, а на набор засматривалась Ленка. Она тоже хотела, как мать, вставать по утрам и после душа, без юбки, в одних колготках, но уже в отглаженной светлой блузке, садиться за кухонный стол, раскрывать красную переливчатую коробочку и, заглядывая в крохотное зеркальце на внутренней стороне крышки, малевать над глазами сложные узоры.

Она любила синевато-бежевые.

Раскрасив веки и немного под глазами, она закрывала набор, заталкивала коробочку в картонную упаковку, уже обтрепавшуюся по углам и краям, относила в свою спальню, а там клала в верхний ящик письменного стола, за которым много лет спустя будет сидеть и делать уроки сын Ленки, Лева, щурящийся конопатый отличник.

Она уходила на работу — «быть инженером». Остальные в школу — «получать образование». Ленке в школе не нравилось, она любила танцевать, а не учиться. (И зачем она послушалась мать? Почему поступила в медучилище, а не в «культурку»? Ну и что с того, что «денег не будет»? У нее и сейчас их очень немного, хотя она в армии и на хорошем счету.)

Ленка была тоненькая, веснушчатая, с каштановыми волосами и походкой несколько крупноватой для своего роста. Она на пару сантиметров переросла мать, а у матери — метр пятьдесят пять. Они маленькие, обе. И потому обе приговорены к каблукам. Только Ленка долго не умела на них ходить, шагала слишком широко и норовила наступить на пятку, из-за чего получались не «цыпочки», а «бум-бум-бум».

Набор

— Ты как сваи забиваешь, — говорила ей мать, не уча ничему, а только констатируя факты.

Набор Ленку интересовал. Так же ее могли бы интересовать и материны каблуки. Только у матери был тридцать пятый, а у нее тридцать седьмой, так что высоченные «шпильки», на которых ходила мать, дочери не годились.

— ...И слава богу, — тайком говорила она, зная, что дочь запросто обдерет с каблуков всю нежную кожицу, а где купить новые — такие?

Негде. Тогда их было купить негде, да и не на что. Нужно было крутиться. Мыли полы попеременно. С утра «быть инженером» или «получать образование», а вечерами сообща полы мыть в учреждении — пока одни примерялись к советской собственности, другие — ее мыли, а тех, кто открывал «комки» или их «рэкетировал», не очень понимали.

Смотрели не без испуга на «рвачей», словно они и были виной тому, что один завод встал, а в школе задолженность по зарплате, учительницы, вон, яйцами по воскресеньям на рынке торгуют; а в Сотникове мужик из окна выбросился, с шестого этажа — фабрику его закрыли, а тут семья, как кормить? Чем? Выпил, свел счеты, а баба его поволокла семью — одна, а куда ж? На рынок, все на рынок — и она туда же, хоть и тоже «была инженером».

Она берегла свой набор. Она о нем почти не говорила. Его и не было будто, он так мало присутствовал в разговорах, что и забылся бы без следа, сгинул, как исчезает множество других важных в жизни мелочей (или тех, которые представляются важными).

Но однажды, ближе к вечеру, Ленка собралась на «скачки»: в школе был праздник, с мальчиками (а в особенности с Сашей, за которого она замуж не вышла, а вышла за другого Сашу, с хитрецой в глазах, позже). Она взяла тайком этот набор, стала малевать глаза, выбирая цвета поярче, но непривычная рука дрогнула, коробочка упала на пол, тени, только блестевшие вазелиновым блеском, а на самом деле сухие и хрупкие, смешались.

Цветные квадратики превратились в порошок — серо-бурый. Не странно разве, что чистые краски, соединившись, превращаются в бурую массу? И крышка треснула, и вывалились металлические гнезда, в которые были втиснуты красители. Одно-то неловкое движение, а набора нет, почти и нечего втискивать в картонную упаковку, «обремкавшуюся» по краям — одни ошметки.

Она рыдала так, как, наверное, рыдают на похоронах. Отчаянно. Длинным «у». У меня мурашки по коже, когда я вспоминаю ее: она сидит в своей комнате, она не кричит, не ругает, не упрекает. Она просто сидит на кровати, на ней полосатый костюм. Она сидит ко мне полубоком, я вижу полосатую спину, у нее согнута спина. Она смотрит на красную треснувшую поверху коробочку. Она плачет. «Ууу». Долго-долго. Страшно.

Набор

Страшно, когда плачут из-за такой ерунды. Особенно страшно, если обычно — ни слезинки.

Она никогда не плакала. У нее сильная воля, у нее жесткий характер. Она одна, детей двое, полы мыть, «быть инженером»; «цок-цок-цок» — по наледи высокими каблучками; «упадет — не упадет», — спорит с женой глумливый сосед, глядя на нее из окна кухни. Она волочет младшего, он уже большой, но ходит медленно, а ей надо спешить; она хватает его на руки, бежит в детсад, а потом на работу — «быть»; и дальше, и дальше...

Мы сидели на кухне. Я и Ленка. Сидели за столом, покрытым клеенкой, — я помню зеленое поле и блеклые розы на нем, — смотрели друг на друга и не знали, что делать.

Страшно было.

Через месяца три у нее появился новый набор. Ленка купила на первую зарплату. После школы она устроилась санитаркой в больницу. Каким он был, я не помню — да уже и неважно. Другие времена — иные крылья.

А скоро — хотя мне, наверное, кажется, что скоро, — она почти перестала краситься. Только чуть-чуть, по особым случаям, когда без косметики уж никак. И туфли теперь предпочитает не на каблуке, а на платформе.

— Сошла с дистанции, — говорит она.

Я слышу в ее словах облегчение. Новую свободу, что ли?

Мама.

Константин Кропоткин

В долг

Домой почти бежал — боялся забыть. Еще в метро злился, что нет с собой ни ручки, ни листка — прокручивал ее речь в уме, но, конечно, всего не запомнил. Истории целиком, готовые, являются редко; обычно они понемногу составляются из кусков, фрагментов, деталей. Чтобы разглядеть сюжет в случайных впечатлениях, необходимо расстояние: картинка складывается из кучи цветных точек на большом плакате, только если отодвинуться на метр-другой. Тоже чудо, в общем-то, но другое, не обдающее жаром.

А тут обдало. И даже ошпарило.

Она рассказала:

— ...Пришла. Он не встал, не улыбнулся. Мазнул взглядом и дальше в газетку. Присела. Заерзала. Мне было неловко. Я хотела посмотреть с ним «Красотку», ее по Третьему каналу показывали. Представляла себе, как мы лежим вместе на его большой кровати и смотрим старое кино. У меня от этой сцены разливалась нежность. Он сказал, чтобы принесла ему пива из холодильника. Холодильник не нашла. Он заворчал. Встал, пошел на кухню, дернул дверку где-то понизу, там обнаружился маленький холодильник, как в гостиницах. Ничего внутри не было, только бутылки пива. Одну мне дал, а сам взял другую. Вернулся в кресло — к газеточке. У него в комнате дорогие лампы, ненавязчивые, тонкие, благородные.

В долг

Музыка играла. Какая-то певица пела итальянские арии — весело пела. И тоже благородно. Он бросил, что сейчас освободится, вот только дочитает про курорт в Америке. Я сидела с пивом на диване. Словно пришла наниматься на работу и жду, когда вызовут. Он читал. Головой качал музыке в такт. Я хлебала пиво. Спросил, видела ли я большую статью про его работу. Ответила честно: «Нет, но мне и не интересно». Он взглядом мазнул. Второй раз за множество минут. Объяснилась: «Ты мне говорил, что я должна быть знакома с тобой, а не с твоими рабочими функциями, вот я и вычеркнула твои функции из списка моих интересов». Дочитал. Сказал, чтобы в кровать шли. По дороге спросила про фильм. Он согласился. Нежность у меня не разлилась, хотя по плану уже должна бы. Телевизор у него старый. Стоит в спальне прямо на полу. Он говорит, что смотрит только новости. Покрутил у телевизора колесико, нашел нужную программу. Снял рубашку, остался в одних домашних штанах. Лег. Я присела рядом. Он смотрел телевизор, а сам меня по спине лениво гладил, будто кошку. Я вспомнила, что ему хочется завести собаку. Он говорил об этом в прошлый раз: мы тогда завтракали в кафе, он рассказывал про свою жизнь. Был вкусный кофе с молоком, за окном цвело. Я чувствовала внутри себя такой писк — хотелось сразу и плакать, и смеяться — так подходило одно к другому. Я все спрашивала себя тогда: «Мне счастье в долг дали или подарили?» Попросила еще пива. Он сказал, чтобы сама взяла. По дороге в зеркало поглядела: элегантный свет мне не к лицу — желтая, сморщенная какая-то. Принесла пива. Себе и ему. Сняла обувь. Стянула свитерок. Он все глядел в телевизор. Я тоже хотела, но не могла сосредоточиться, что-то мешало. Я не понимала что: может, обстановка, или то, что телевизор маленький, или то, что мы полуголые. Лежал, чесал мне спинку и наблюдал через скважину за чужим миром. У него на лице ничего не отображалось, и мне было дико, странно думать, что он писал мне любовные письма. Он сказал: «Ты — телевизионная жертва, этот ящик — единственное, что тебе надо». С ленцой сказал, глядя в экран. Мне, наверное, надо было мяукнуть что-нибудь, но я промолчала, потому что поняла очень важную вещь. Встала. Сказала, что с ним было очень приятно, но надо уходить. Быстро оделась. В щечку его чмокнула на прощание. Он же не виноват, что счастье было в долг. К метро шла темной улицей, чтобы никто не видел. Выла. Идиотка.

Один. Плюс. Одна

Откуда знаю — не скажу. Ни имен, ни адресов, ни прочих данных. Пусть будет так — я придумал все, наврал. «Один плюс одна» — такая история.

«Я знаю, она ему изменяет.

Один. Плюс. Одна

Она изменяет ему по-настоящему. Она уходит "к подруге" или "по своим женским делам", а когда возвращается, то спешно скрывается в ванной. "Я скоренько!" — кричит она, трет себя мочалкой чуть не до крови, заставляя свое тело забыть о другом человеке, с которым на пару часов. "Винца хочешь?" — говорит тот, другой, встречая в прихожей. "Ага, после". — Она тянет его в спальню или на диван, а однажды, когда ей хотелось пописать, они так и провели все два часа на кафельном полу между шкафчиком и ванной. "Как северное лето, — вспоминала она. — Сверху пекло, снизу мерзлота".

И потом, конечно, немного вина, а еще чаю с лимоном. И абсолютное спокойствие, похожее на сытость. Дверь за ней закрывается, она идет через двор, потом на улицу, через перекресток со светофором, неохотно включающим зеленый. Она возвращается домой и все больше боится, что позабыла какой-то пустяк — вот хоть трусы надела шиворот-навыворот.

Она изменяет, я знаю, но никогда ему об этом не скажу. Он умный. Когда мы встречаемся — на кофе, или в кино, или в саду полежать в гамаках, — я не устаю удивляться, как много знает он, как много пережил и как умеет сложить в ясную законченную фигуру все то, что у большинства остается растрепанным, лохматым облаком, непонятно зачем образовавшимся. Он умен настолько, что не боится быть глупым, — он дурачится. Он тянет меня в траву, просто побарахтаться, словно голова его еще покрыта шапкой черных волос, а тело не поплыло к земле ленивым таким бурдюком. "Гули-гули!" — кричит он, я вываливаюсь из своего гамака на него сверху, боясь навредить его телу, которое хоть и выглядит большим, но где-то там, внутри, наверняка уже стало хрупким, мы же не видим, что там — внутри. Он кричит, я смущенно вторю. И она, сидя в спасительной тени, на веранде, на скамейке, сколоченной еще ее дедом, смеется нам тоже. Но может, в этот счастливый миг и она тоже стыдится, что опять была, снова ходила — и этот запах, который попробуй-ка смой.

Он умен и, наверное, знает, что она ему изменяет. Он знает, почему лицо ее, вытянутое, с желтыми щеками, принимает иногда виноватое выражение, как у доброй лошади. У нее блестят глаза, ей неловко, но ничего с собой поделать она не может. Он старше нее. Она — молода, ей чуть за тридцать, у нее много сил, и нельзя же ей — такой молодой — каждый раз засыпать с этим ожесточением, с чувством, что где-то внутри сложены острые железки, которые сейчас возьмут и порвут ее по живому, до крови. Она ему изменяет давно, а недавно стала рассказывать мне, будто мы подруги, и не помню уже, как это вдруг получилось.

Наверное, он заснул в гамаке, утомленный солнцем — дырчатым, если смотреть на него сквозь редкую крону сливового дерева. Мы сидели с ней рядом, на скамейке; она перебирала сливы и стала тихо рассказывать, что у нее бывает и ей ничуть не стыдно. "Это плоть всего, плоть", — пускай так говорила она, отделяя плохие плоды от хороших.

Она изменяет, я знаю, но никогда ему не скажу. Один плюс один не бывает три. Таков объективный закон. Третий — лишний, если он вмешивается, если сует свои пальцы в шестеренки чужих отношений, не идеальных, возможно, но механизм-то работает и видно — невооруженным глазом видно, как счастливы они, когда вместе, как весомо и дружно их молчание, когда сидят они рядом и слушают мою болтовню.

Я знаю, она ему изменяет. И он изменяет ей тоже. Со мной.

Один. Плюс. Одна. Я — плюс».

ЕЛЕНА МИХАЛКОВА
Про женщину и скалу

Одна Женщина решила выйти замуж. Замужние и незамужние подруги рьяно отговаривали ее. Первые удивлялись: зачем тебе сдался какой-то хмырь? А вторые удивлялись: зачем ты кому-то сдалась? Ты посмотри на себя критичным взглядом. Какой муж, одумайся!

Первая подруга назвала нашу героиню пышечкой, вторая — тыквочкой, а третья заявила, что при таком росте — метр с кепкой в прыжке — рассчитывать на узаконенное счастье просто неприлично. Они уже не в том возрасте, чтобы питать иллюзии. Заодно напомнила и про возраст.

Но Одна Женщина (ее звали Люся, уменьшительное от Людмилы) не одумалась. Она была детским логопедом, а эта профессия как никакая другая развивает в человеке упорство и умение настоять на своем. Когда десять раз на дню имеешь дело с картавыми и шепелявящими детьми, отстаивающими право твердить «мама мыла ламу», приходится быть твердым. (Хотя Люся прекрасно представляла себе эту ламу: пушистую, как коврик, желтую, как мимоза. И как мама ее ласково моет, а лама переступает копытцами и тянется губами за тряпкой.)

Твердо задумав найти мужа, Люся подошла к делу ответственно. Она принялась анализировать: где водятся потенциальные мужья? На какой грядке растут холостяки, ожидая, пока их выдернет бестрепетная женская рука?

Сайты знакомств Люся отвергла сразу. Ей требовалась именно грядка, а не навозная куча. Она не могла позволить себе слишком долго рыться в поисках подходящей жемчужины.

Перспективным направлением казались автомобили. Чтобы прощупать почву, Люся пару раз попыталась забыть на заправке, где у ее машины бензобак и откуда растет шланг. Но вместо того чтобы окружить беспомощную женщину заботой, окрестные мужчины нечутко ржали и давали циничные советы. Уезжала несолоно хлебавши, хоть и с бензином.

Наконец Люсю осенило: спорт! Вот где отыщется будущий супруг. Он будет здоров и мускулист. И на том месте, где у облежнившихся водителей находится туловище, у него будет — торс!

Но какое выбрать направление? Экстремалов Люся побаивалась, а с парашютом не прыгнула бы даже в том случае, если на земле бы ее ждал мистер Дарси с предложением руки, сердца и всего Пемберли. Агрессивных мужчин тоже не хотелось, поэтому секция бокса отпала. Бегуны? Зануды. Лыжники? Утепленные зануды. В тренажерном зале — самовлюбленные качки. В бассейне встречаются нормальные люди, но там мокро.

Что в сухом, во всех смыслах, остатке? Скалолазание.

Да, это была хорошая идея. Люсе представились выносливые, спокойные, терпеливые мужчины, гроздьями висящие на скалах. И, вдохновленная этим видением, она немедленно записалась на ближайшую субботу в группу для новичков.

Наступило самое ответственное время: выбор спортивной формы. Люся задумала произвести неизгладимое впечатление на всех, включая гардеробщицу. Ошеломить, изумить, влюбить, и далее по плану. Что толку в скалах, если на них болтается невнятное существо в безразмерном трико и, страшно сказать, худи?

Она отправилась по магазинам. После трех часов бесплодных хождений у нее не осталось сомнений в том, что вся спортивная одежда придумана человеком, которому в детстве полная женщина нанесла психологическую травму. Теперь он убийственно мстил.

Люся не была бегемотом. Она была всего лишь маленькой, пухлой, веселой женщиной с жизнерадостными кудряшками. Но за эти три часа улыбка исчезла с ее губ, а кудряшки уныло повисли.

Зеркала в примерочных прицельно били по ее самооценке. Дважды она была близка к тому, чтобы поставить крест на всей затее. Вот что могут сделать с самой целеустремленной женщиной обтягивающая футболка и шорты фасона «зато я вкусно готовлю».

Но все-таки удача была на ее стороне, и в конце концов, правильная форма — та, в которой будущая покорительница скал не слишком сильно напоминала пингвина, втиснутого в детскую пижамку, — была выбрана. Широкая синяя футболка — под цвет глаз, и беспощадно утягивающие шорты — под объем попы.

Счастливая Люся птицей метнулась к косметологу и вылетела от него гладкая и румяная. В приступе бешеного энтузиазма она даже зачем-то сбегала на массаж. Наконец, навестила парикмахера — и вышла из салона, целиком и полностью готовая к встрече с судьбой.

И вот наступил торжественный день. Скалы, пусть и искусственные, властно манили к себе.

В их группе оказалось пятеро мужчин. Не успела Люся толком оценить претендентов, как всех новичков подвели к стенке с выпуклостями, велели распластаться лягушками и ползти влево. Потом вправо. Потом опять влево. И еще раз вправо. К концу упражнения у нее было чувство, будто ею старательно протирали пыль со всех труднодоступных мест этой чертовой скалы.

Люся даже растерялась. Ей почему-то казалось, что все это будет проще и как-то веселее.

— А теперь все ко мне! — скомандовал инструктор.

Прежде чем Люся пискнула, что она не хочет, на нее надели какую-то подпругу, прицепили веревку и снова поставили перед стенкой. Она с ужасом поняла, что мужчины, пыхтящие по соседству, практически не занимают ее мыслей. А единственное, что занимает, — это то, как она полезет вверх.

— Вперед! — потребовал инструктор. И, обращаясь персонально к ней, добавил: — Ногами работай! Выталкивай себя!

И Люся заработала ногами.

Ничего более унизительного в ее жизни до сих пор не случалось. Пухлые Люсины ножки не были предназначены для того, чтобы выталкивать вверх ее тело.

— Жми!

Люся последние десять лет жала только на педали газа и тормоза. Поэтому она беспомощно болталась в подпруге, суча копытцами.

— Рукой! Цепляйся! Правой, а не левой!

Люся в панике хваталась за наросты на стене. Куда-то тянулась. Обливаясь потом, отталкивалась ногами, снова вцеплялась и толкалась.

По прошествии некоторого времени она обнаружила себя распластавшейся по скале на высоте пятнадцати метров. Про пятнадцать метров ей крикнул инструктор. Сама Люся понимала, что ей врут, что здесь метров восемьдесят, а то и все сто. Где-то под потолком должны летать орлы, а на соседней скале сидеть отец Федор и проповедовать птицам.

— Руки разжимай! — просил инструктор.

Но Люся держалась намертво и старалась не смотреть вниз.

— Ты же на страховке! — убеждали снизу. — Ну! Давай! Спускайся!

Взволнованные мужчины окружили инструктора и тоже что-то советовали.

— Да не бойся ты! — надрывался инструктор.

Люся никого не слушала. Она ощущала себя лизуном — тем самым, которого они в школе швыряли в потолок или в стену. Он так смешно прилипал, а потом — чпок — отваливался.

Люся понимала, что чпок неизбежен. Если бы она могла, то вцепилась бы в скалу зубами. Повисла бы, мертвой хваткой сжимая челюсти, как бульдог, и висела до тех пор, пока за ней не прилетел бы спасательный вертолет.

Но напротив Люсиного лица была ровная поверхность. И вертолеты в фитнес-центрах не летают. В конце концов наступил момент, когда пальцы ее разжались, и Люся с диким визгом обрушилась вниз.

То есть, конечно, не обрушилась, а повисла на страховочном тросе, перебирая ногами по стене. Но все время, что ее спускали, не переставала визжать.

Едва коснувшись кроссовками пола, Люся немедленно замолчала. Деловито отстегнула карабин, выбралась из подпруги.

— Обойдусь без мужа, — с достоинством сообщила она остолбеневшему тренеру, вручая экипировку. И гордо удалилась на дрожащих ногах.

Футболку, которая так прекрасно подходила к цвету ее глаз, и шорты, выбранные из двух сотен пар, Люся бросила в раздевалке. Она понимала, что в жизни их не наденет.

На этом можно было бы и закончить про бедную Люсю. Но, как ни странно, история имела небольшое продолжение.

Сев за руль машины, Люся стремительно поехала со стоянки. Ей хотелось как можно быстрее и дальше оказаться от места своего позора. Добраться до дома, спрятаться под одеяло — и лежать, тихо оплакивая несбывшиеся надежды, глупые мечты и чудесную футболку — синюю, под цвет глаз.

Руки у Люси после занятия дрожали. Внимание было рассеяно. И потому нет ничего удивительного в том, что через двадцать метров она въехала в чужую «Хонду», замешкавшуюся перед поворотом.

Невысокий кругленький мужчина в очках выбрался из машины. Посмотрел на травмы «Хонды». Посмотрел на Люсю. И укоризненно сказал:

— Что же вы, девушка. Права купили, так хоть бы ездить научились.

Про женщину и черепаху

Это стало последней каплей, прорвавшей плотину. Люся уткнулась в руль и горько зарыдала.

Кругленький мужчина не ожидал такой реакции. Он испуганно забегал вокруг, пытаясь выловить рациональное зерно во всхлипах.

— Так хотела!.. — всхлипывала Люся. — Мечтала!.. Купила новые!.. А там... Страшно!.. Толстая!.. Ы-ы-ы!

— Господи, да что ж вы так убиваетесь?! — воскликнул наконец очкарик, примерно поняв суть трагедии. — Я тоже высоты боюсь, и что? Даже на деревья в детстве не лазил. Надо мной все девчонки смеялись.

Люся подняла на него зареванное лицо.

— Вы такая красивая, — сказал мужчина совершенно серьезно и поморгал за очками. — Зачем вам вообще куда-то лезть?

Два месяца спустя они поженились.
И это действительно конец истории.

Про женщину и черепаху

Одна Женщина была влюблена. Она была совсем молодая женщина и оттого немножко глупенькая (и от влюбленности тоже, конечно).

Ее мужчина был взрослый, умный, опытный и нестандартный. Он любил напоминать ей: «Я — не человек толпы» (например, когда она звала его в кино). И вообще любил поговорить о себе — вдумчиво, с чувством, подбирая емкие формулировки и неожиданные метафоры.

А женщина (ее звали Ася, уменьшительное от Анастасии) любила слушать. Если выдавалась такая радость, как совместная ночь, а не просто три-торопливых-часа-между-работой-все-пока-я-побежала-опаздываю, то утром она варила ему крепкий кофе, жарила яичницу под его рассуждения и чувствовала себя счастливой.

Мужчина был индивидуалистом. «Здоровый индивидуализм — основа современного общества, — провозглашал он. — Дайте мне мою собственную нишу, и я не буду переворачивать ваш мир».

И добавлял, пожимая плечами: «Хотя и мог бы».

Он зарабатывал тем, что придумывал дизайны для разных товаров. Ася не очень понимала, как можно перевернуть мир, рисуя обертку, например, для шоколадного печенья. (Он тогда изобразил плоского темно-коричневого человечка, удирающего от тянущейся к нему белой детской ручки, а глупый производитель забраковал дизайн, заявив, что это пособие для разжигания расовой неприязни, а не упаковка для печенья.) Но вопросов она не задавала, боясь показаться дурочкой.

Ей хотелось рядом с ним быть такой же умной, взрослой, опытной и нестандартной. Для этого постоянно нужно было соответствовать. И Ася старалась, прикладывала усилия. Проще всего соответствовать, когда молчишь. А то брякнешь что-нибудь — и между вами сразу интеллектуальная пропасть.

У ее мужчины имелась одна мечта. Чуточку смешная, чуточку мальчишеская и оттого очень ей симпатичная. Он мечтал завести дома панцирь морской черепахи. Ася знала, что он повесил бы панцирь на место телевизора. Чтобы гости заходили в комнату, поворачивались к экрану, а там вместо него — огромный выпуклый панцирь с узорами.

Он так часто рассказывал об этом, что Ася и сама очень ярко представляла: вот люди входят — и застывают в изумлении. Морские черепахи огромные, могут вырастать до двух метров в длину. То есть если поставить черепаху на попа, то она будет выше Аси. Гости поворачиваются к хозяину, в их глазах недоверчивый восторг. Они сразу все про него понимают. Тот, у кого вместо телевизора висит панцирь морской черепахи, — это вам не какой-нибудь человек толпы. Это личность. Причем незаурядная.

И тогда Ася тоже стала мечтать. Она мечтала, как привезет любимому панцирь морской черепахи. Огромный, коричневый, со сложным геометрическим узором. Может быть, даже натертый каким-нибудь специальным маслом. Любимый откроет дверь, увидит панцирь и онемеет. А потом скажет хрипло: «Ася...» А Ася скромно скажет: «Это тебе». И все — счастье до конца их дней. Целый мир может стоять на черепахе. Значит, на панцире места для них двоих и подавно хватит.

Говорят, когда человек чего-то сильно хочет, его желание рано или поздно сбывается. Ася хотела заполучить панцирь для любимого так сильно, что сама готова была стать черепахой, оторвать панцирь от себя и до конца жизни ползать голым беззащитным червяком. Поэтому, узнав о том, что через неделю их экипаж поставили на рейс в Южный Йемен, она обрадовалась, но почти не удивилась: все шло как и должно.

Ася работала стюардессой. Очень скоро весь экипаж знал, что она летит за панцирем. Когда Ася вслух выразила беспокойство, хватит ли ей денег, вокруг рассмеялись и успокаивающе похлопали ее по плечу.

— Расслабься, — посоветовал бортпроводник. — Будет тебе твой панцирь.

— Но деньги... — заикнулась Ася.

— Сказано тебе — будет. Без всяких денег. Сама увидишь.

Коллеги относились к ней нежно-покровительственно, и подозревать их в злом умысле или насмешке она никак не могла.

Ася терялась в догадках. Может быть, в Адене есть рынок, где панцири продают по смешным ценам? Или туземцы ловят черепах, съедают вкусное черепашье мясо, а несъедобные панцири обменивают на бусы?

Аден оказался помойкой в пустыне. Никаких рынков. Никаких туземцев с котлами. Экипаж поселили в одноэтажной гостинице, где по внутреннему двору ветер перекатывал мелкие камушки. Они тоскливо шуршали о песок.

— Вы меня обманули, — сказала Ася, чуть не плача. — Зачем вы так?

Старший бортпроводник вывел ее на балкон.

— Что видишь? — спросил он.

— Люки канализационные, — мрачно ответила Ася. — И больше ничего.

— А тебе больше ничего и не надо.

И пояснил ошеломленной девушке, что Йемен — нищая страна, где никто не тратит металл на то, чтобы закрыть дыру в земле. Вместо нормальных люков используют панцири. От той самой морской черепахи.

— И что, можно взять один? — ахнула Ася, теперь уже отчетливо видя, что ей не врут. — Просто так?

— Просто так, положим, ты его не возьмешь, он тяжелый. Но товарищи окажут тебе посильную помощь.

В следующие три дня на Асю смотрели как на полную дуру чаще, чем за всю ее предыдущую жизнь. Но она храбро сносила насмешки и тащила панцирь к цели — в переносном смысле, но иногда и в прямом. Он был удивительный и невероятный. Его можно было долго рассматривать, воображая те подводные миры, где он побывал. На одной пластинке даже отпечатался узор, похожий на волну. Как будто океан поставил на панцире печать, удостоверив его подлинность.

И вот наконец они с панцирем прибыли в Москву.

Перед актом осчастливливания она набрала номер любимого и предупредила, что заедет. Голос звучал слишком восторженно, но любимый, кажется, ничего не заподозрил. Потом подкрасилась и надела туфли на каблучках. Может быть, он станет носить ее на руках по квартире, и тогда со стуком падающие на пол туфельки — самое то. В отличие от ботинок на шнуровке, способных придушить всю романтику на корню своими шнурками.

Она все продумала.

Через два часа в квартиру мужчины позвонили. Открыв, он узрел счастливую Асю, а рядом с ней грузчика, придерживавшего предмет странной формы.

— Панцирь! — сказала Ася, смеясь, и шагнула ему навстречу. — Ты представляешь, панцирь!

Потом все было так, как она представляла, — и его изумленно-радостное лицо, и туфельки, падающие на пол, и все остальное.

— ...Ну, Аська, ты даешь, — проговорил он, закуривая. — Поверить не могу. Как раз такой, как я хотел. Рассказывай, где его раздобыла.

Ася не любила и не умела врать.

— Представляешь, в Йемене ими канализацию закрывают, — сказала она. — Ну, бедная страна, металла не хватает...

Она застегнула брючки, хотела сказать что-то еще, но осеклась.

Про женщину и черепаху

— Как? — переспросил он. — Канализацию?

Посмотрел на панцирь и медленно раздавил в пепельнице сигарету.

— Или просто ямы в земле, — уже тише добавила Ася. — Понимаешь, бедная страна...

Он помолчал. Потом сказал:

— Ямы, значит. И канализация.

Поднял Асю за плечи с дивана, одним движением натянул на нее свитерок — получилось задом наперед — и аккуратно вывел из квартиры. Через две минуты она уже стояла на лестничной площадке, растерянно сжимая в руках туфельки. Дверь снова распахнулась, она подалась было навстречу — но раскрасневшийся от натуги мужчина прислонил к стене рядом с ней черепаший панцирь.

— Почему? — тихо спросила Ася. — За что?

— За что? — он усмехнулся. — Ты привезла мне вместо моей мечты крышку от унитаза и еще спрашиваешь, за что?

Щелкнул замок, и Ася с панцирем остались вдвоем. Она села на пол, прислонилась к нему и некоторое время просто сидела. Когда за окном начало темнеть, пришлось подняться.

Панцирь, кажется, уменьшился в размерах и даже немного скукожился.

— Ты вовсе не крышка от унитаза, — сказала она ему и погладила пластинку. — Ты в океане плавал. На тебе волна оставила свою печать.

Но панцирь скукожился еще сильнее, и стало видно, что никакая это не печать, а просто трещина, в которую забился песок.

Про женщину и Байкал

Одна Женщина имела глупость второй раз влюбиться в бывшего однокурсника. «Какая пошлость — влюбляться в тех, с кем училась, — думала она раздраженно. — Особенно по второму кругу. Большей пошлостью может быть только влюбленность в собственного начальника. И еще в подчиненного. И еще в коллегу».

Тут она остановилась и вслух резюмировала:

— Да вообще влюбленность — это одна большая пошлость!

И даже сердито топнула ногой по тротуару.

От нее шарахнулся какой-то юноша с бородкой, несущий одинокую розу. Одна Женщина (ее звали Соня, уменьшительное от Софьи) злобно фыркнула ему вслед. В этот фырк она вложила все свое презрение к одиноким розам и их дарителям. Дарители уверены, что одинокая роза скажет об их безупречном вкусе. Но на самом деле она говорит лишь о том, что на полноценный букет денег не хватило, а приходить с пустыми руками неловко.

Именно так обычно поступал ее однокурсник Дима, с которым она увиделась вчера на очередном съезде бывших выпускников. Сто лет назад, когда и фонтаны били голубые, и Москва еще была в асфальте, а не брусчатке, они встречались. Ей даже казалось, что это любовь.

Время от времени он радовал Соню подвядшей розочкой или, что еще хуже, красной гвоздичкой. В таких случаях она чувствовала себя ветераном войны, которого чествуют школьники.

Разумеется, они расстались. Причем не она ушла от него легко и красиво, а ее бросили. Вспоминая об этом постыдном факте своей биографии (приличная женщина не должна позволять, чтобы ее бросали), Соня говорила себе, что ей тогда крупно повезло. Ведь она могла и замуж за него сдуру выскочить. А он — пронырлив, хитер, скуп. Гвоздички опять-таки. За одно это можно возненавидеть мужчину до конца своих дней.

Беда состояла в том, что, встретившись с ним через десять лет, Соня почувствовала, что в душе снова что-то свербит и ноет. Несмотря на все подвядшие розы, некрасивое расставание и пр.

Она остановилась перед витриной и с отвращением посмотрела на свое отражение. Ему всего тридцать, а ей уже тридцать. Он целый руководитель в турфирме, а у нее паршивенький фриланс. Он хорош как шотландец, а она...

Сеанс самоедства остался незавершенным, потому что прозвонил телефон и высветилось имя: Дима.

— Да! — торопливо сказала Соня в трубку. — Привет. Что? Нет-нет, ничем таким...

Она прикусила язык и поправилась: то есть, конечно, она занята сегодня вечером. Но если он очень настаивает... Если надо... Конечно, ради старой дружбы она готова...

И, закончив разговор, вдруг отбила на брусчатке радостную чечетку под взглядами удивленных прохожих.

В ресторан, слава богу, Дима цветы не принес. Первые пять минут ничего не значащего разговора, обсуждения меню, сплетен об однокурсниках — и вдруг он выпалил, наклонившись к ней:

— Сонь, поедешь со мной на Байкал?

— Надолго? — спросила Соня прежде, чем успела о чем-нибудь подумать.

Он позволил себе откинуться на спинку стула, и только теперь ей стало ясно, что он напряжен и взволнован не меньше нее.

— На шесть дней.

Вечером Соня бегала по стенам, пытаясь отыскать кроссовки, куртку с мембраной и дождевик.

Поездка намечалась не совсем романтическая, во всяком случае официально.

Дима объяснил, что у него собралась группа из пяти англичан, жаждущих увидеть красоты Байкала. Он должен был ехать с ними один, но при мысли об этом его одолела такая тоска, что...

На этом месте объяснения он замолчал и посмотрел на нее собачьими глазами.

Соня все поняла и без слов.

— Я, возможно, даже смогу что-то заплатить, если оформим тебя как сопровождающую, — неуверенно предложил он. — Только не уверен, что там приличные деньги...

Но Соня оборвала его и предложила не говорить глупости. Пусть лучше расскажет, что нужно взять с собой.

На следующий день они вылетели из Москвы в Иркутск: Соня, Дима, три рыжих англичанина, похожие на изможденных кузнечиков, и две англичанки неопределенного возраста, часто показывающие в улыбке желтые зубы.

Соня незаметно прикасалась ладонью к рукаву Диминой куртки, и это придавало ей мужества.

А мужество было необходимо. Соня ненавидела то, что называется отдыхом на природе. Все эти палатки, костры, походная еда, туалет под сосной... Вот на что она согласилась, когда Дима смотрел на нее собачьими глазами.

Но сейчас Соня украдкой поглядывала на него и думала, что это не такая высокая цена за шесть дней, проведенных вместе. Она проявит себя с лучшей стороны. Дима запомнил ее неумехой и неженкой?

Она покажет, что готова выносить тяготы не хуже этих, рыжих. Может спать в дупле и расчесываться плавником карася. Умеет коптить долгоносиков и доить таежных слизней. А еще обедать тушенкой, запивать водкой и закусывать шишками. Нет, тушенку не может, не переносит даже запах. Но все остальное — запросто.

Когда прибыли на место, выяснилось, что жить предстоит не в палатках, а в деревянных домиках, которые владелец почему-то упорно именовал избушками, хотя правильнее было бы — сараями. Англичанам страшно понравилось это слово. «Из-бю-щка», — они вытягивали губы и смеялись.

Еще в самолете обнаружилось, что вся компания ни бельмеса не понимает по-русски. А Димин английский был так слаб, что после двух его попыток объясниться Соня взяла дело в свои руки.

Их расселили по «избющкам», каждого в свою. Соня сначала огорчилась, но потом подумала, что так даже лучше. Сначала Дима будет приходить к ней, затем она к нему. И все это среди байкальских красот.

А красота вокруг и правда была невероятная. Над головами ели сходились с небом. Озеро синело так, что хотелось подкрутить настройки фотошопа и сделать цвет более приближенным к реальности — побледнее, посерее.

Все ахали и изумлялись. Соня тоже ахала и изумлялась, но по другим поводам. Во-первых, их атаковали полчища комаров. Вскоре она прониклась мыслью, что лучше стать жертвой нападения тигра или медведя. По крайней мере, смерть будет быстрой и не такой мучительной.

Ей приходилось без конца брызгаться репеллентом, который должен был отпугивать мерзких тварей. Вместо этого он притягивал их, как диоровский «Фаренгейт» — юных неопытных дев. Каждый комар из многотысячной тучи, завидев Соню, считал своим долгом лично засвидетельствовать ей почтение.

Второй напастью была мелкая мошка, которая вела себя еще хуже комаров. От ее укусов Соня распухла и чесалась, как шелудивая дворняжка.

Третьей бедой оказались клещи. Они норовили забраться в подмышки и другие труднодоступные места. Соня, панически боявшаяся энцефалита, маниакально осматривала одежду каждые четыре часа, но понимала, что ходит по краю бездны. Пока ей везло. Но что будет завтра?

Все живописные места, по которым водил их Дима, казались ей похожими одно на другое. Везде были гнус, комары и клещи. Деревья зеленели, озеро синело, горы лысели. У Сони в голове не укладывалось, как можно лететь за пять тысяч километров для того, чтобы посмотреть на огромную массу воды. К тому же ледяную.

Вдобавок англичане оказались зависимы от нее, как дети. Без ее помощи они не понимали Диму. Поэтому

Соня покорно таскалась за ними и переводила все, что он говорил.

На замесе из влюбленности и желания она продержалась четыре дня. Ангельское терпение и дьявольская выдержка стали ее постоянными спутниками. К тому же Соня беспрестанно врала. Ах, какая красота! Ах, посмотрите сюда! Оу, вот это да! Не может быть, снимайте скорее, снимайте!

Дима был ласков и нежен. Но по ночам не приходил.

Да что там приходил — Соне пока не досталось даже поцелуя. Днем они все время были на людях, вечером расходились — и засыпали. То есть Дима засыпал, а она лежала без сна в своей самой красивой сорочке, шелковой с черным кружевом, безбожно мерзла и смотрела в потолок. На потолке висели комары, здоровые, как летучие мыши.

На четвертую ночь Соня решила брать счастье в свои руки и ковать железо, в каком бы состоянии оно ни находилось. Впотьмах, стуча зубами и дрожа ногами, она добежала до Диминого сарайчика и пять минут исполняла под его дверью танец вожделеющей женщины. Все было напрасно: Дима крепко спал и не открыл.

Пятая ночь была последней. Но и ее ничего не понимающая Соня провела в одиночестве.

В «Шереметьеве», получив свой багаж, она тепло попрощалась с англичанами и сухо — с Димой. Тот ласково улыбнулся ей напоследок. Соня села в такси, увидела привычную шапку смога над городом и благословила московский климат, в котором комары водились парами, а не многотысячными общинами.

Но ее не оставляли мучительные раздумья. Что она сделала не так? Она, пустившая шесть дней гнусу под хвост?

И в конце концов, наступив гордости на горло, Соня позвонила другому однокурснику, Диминому приятелю.

— А, Сонька! — Тот ничуть не удивился. — Ты, говорят, героически помогала нашему Димону?

— Помогала?

— Когда он, дурак, ввязался в эту авантюру с англичанами. На переводчика ему влом было тратиться. А по-английски он ни бум-бум. Но ты молодец, выручила товарища.

Приятель одобрительно рассмеялся. И Соня рассмеялась тоже.

И, закончив разговор, посмеялась еще немного, стоя одна в пустой квартире. Потом достала с дальней полки старый томик «Графа Монте-Кристо», вынула из него засушенную красную гвоздику и ритуально сожгла над раковиной.

Она прогорела так быстро, как будто ее и не было.

ВИКТОРИЯ ЛЕБЕДЕВА
Почки царице

Из всего отечественного кинематографа Юлька любила только доперестроечные советские комедии. «Волгу-Волгу», «Веселых ребят», «Кавказскую пленницу», «Служебный роман» любила. А всего больше любила «Ивана Васильевича». Волшебный фильм, во многих отношениях. Шурик там — такой душка, и вот Пуговкин еще, а уж Куравлев-то! Булгаков когда-а писал, с тех пор коммуналки почти все разъехались, а что изменилось? Да ничего, если честно. Разве общий подъезд вместо общего коридора и с соседями можно не здороваться.

Юлька много чего любила. Читать любила и на роликах кататься, плавать до посинения, далеко-далеко, чтобы берега не видно, танцевать любила и в парке гулять под звездным небом. А еще любила Юлька всякие эксперименты кулинарные. Раньше, пока родители в Германию работать не уехали, она каждый день чего-нибудь эдакого наколдовывала к ужину. Да только родителям еще целый год работать, а может, и контракт продлят, если повезет, много ли теперь наэкспериментируешь со стипендии да с полставки в «Макдаке»?

Но все-таки иногда позволяла себе, из скудных средств выкраивая, любимому хобби не изменяла.

И вот однажды, в пятницу вечером, зашла Юлька в гастроном, в мясной отдел. А там, за стеклом, — прямо глаза разбегаются. И тебе индюшка, и курица всеми частями тела и целиком представлена, и кроличьи лапки, и корейка, и карбонаты, — выбирай не хочу, аж слюнки потекли. А до зарплаты целая неделя. Разглядывала Юлька, разглядывала. И это дороговато, и вон то кусается, а о том и мечтать не смей, оно тут для богатых клиентов лежит, все во льду и в подсветке. И вдруг увидела внизу, в самом уголке, — почки телячьи и почки говяжьи, аккуратненькой горочкой. Стоят всего ничего, чуть больше полусотни. В голове сразу щелк: «Почки один раз царице, икра черная, икра красная, икра заморская кабачковая». Судьба, в общем.

* * *

В субботу на огонек заехала Алена. Вина аргентинского привезла, в коробке, и банку маслин с косточками.

А у Юльки на кухне уже дым коромыслом. Четыре картофелины в духовке пекутся, салату настругано из чего бог послал: пара крабовых палочек, кукурузы сладкой с полбанки, луку зеленого полтора пера, помидорка, корешок китайского салата. Да много ли девчонкам надо, чтобы наесться? К тому же — почки, царское блюдо. Вон, лежат на тарелочке. Ровненькие, глянцевые, похожие на гигантские фасолины. И лук уже нарезан, и даже сковородка греется.

Стала Юлька почки под краном промывать, под холодной водой. Вот хорошо, не то что с какой-нибудь печенью. И крови с них не течет, и под пальцами не разъезжаются. Суперпродукт! Главное, дешевый-то какой. А Алена рядышком на табуретке сидит, щебечет. Про предков щебечет, про парня своего щебечет, про экзамен по литературе Средних веков. В общем, как обычно. Чего бы ей не щебетать? Ни забот у человека, ни хлопот.

Юлька тем временем почки на разделочную доску выложила, стала соломкой резать. Руку поднесла к лицу, челку откинула, и странный ей какой-то запах послышался, еле уловимый. Не поняла, чем пахнет, но точно — неприятное что-то. «Еще раз промою на всякий случай, — подумала Юлька, — мало ли». Вообще-то, если по-хорошему, надо было в кулинарную книгу заглянуть сперва, да только кто ж ее знает, где она теперь валяется среди студенческого бардака?

Почки царице

Ну да ладно, такому матерому кулинару, как Юлька, серый волк не страшен и море по колено.

Долго ли коротко промывала Юлька почки студеной водой из-под крана (Алена уже все новости выложила и на второй круг зашла, у нее это быстро, не говорит, а из автомата стреляет), но вот показалось ей, что все уже, хватит. Вроде запаха нет больше. Может, померещился? И сковорода уже давно греется, аж дно покраснело. Налила Юлька на сковородку растительного масла, лук по-быстренькому обжарила до золотистой корочки, почки нарезанные плюхнула поверх, перемешала и крышкой прикрыла — пусть себе тушатся.

— Скоро там? — Алена интересуется. — Жрать охота, сил нет. С утра, веришь, один йогурт и чай без сахара.

— Скоро, — закивала Юлька. — Минут десять буквально.

— Давай хоть выпьем тогда, — предложила Алена. Открыли коробку, набулькали по полчашки вина, чокнулись.

— Ну, за тебя! — говорит Алена. — Хоть бы тебе замуж уже. Не хозяйка, а клад!

— Да ну... — смутилась Юлька. — Я еще погуляю.

(Валера ей целых десять дней не звонил, а ребята с курса настучали, что с какой-то рыжей девицей его в кино видели. Вся такая наглая, в пирсинге. Какое теперь замужество? А ведь еще летом — такие планы.)

— Ладно, мать, не скромничай! — не согласилась Алена.

Выпили. Маслинкой закусили.

— Что у тебя там? Хоть не отравимся? — шутит Алена.

— Погоди, узнаешь. Сюрприз там. Царское блюдо.

С этими словами Юлька встала, подошла к плите и открыла крышку. Тяжелый запах мужского сортира ударил в ноздри и разлился по всей кухне. Алена побледнела под цвет обоев и рванула в туалет, зажимая рот ладонью.

Только тут озарило Юльку. Вспомнились ей все подробности функции почек, вполне объясняющие природу тяжелого запаха, затопившего кухню, хоть топор вешай.

В принципе, если их не нюхать, они хорошо выглядели. Ровненькие такие, плотненькие кусочки, один к одному. Выбрасывать их было ужасно жалко.

«Русские не сдаются!» — почему-то подумала Юлька и налила в сковороду полстакана девятипроцентного столового уксуса. Почки из серо-коричневых сделались нежно-бежевыми, от них повалил густой белый пар. Но запах, против ожиданий, не только не исчез, а, кажется, даже усилился. Алена на кухне не появлялась. «Эх, чего бы такого...» — лихорадочно соображала Юлька, громко хлопая дверцами шкафчиков. В сковородку поочередно отправились сухая аджика, хмели-сунели и два кубика крошки-чеснока, лавровый лист, пять бутончиков гвоздики и несколько крупных горошин душистого перца. Но запах становился все гуще и наваристее, от него уже слезились глаза и начинало немножечко мутить. Расстроенная Юлька захлопнула крышку, погасила огонь и настежь распахнула окно. Морозный воздух ворвался, закружил и за считанные минуты унес с собой тяжелый кухонный чад, словно его и не было.

В дверь с величайшей осторожностью заглянула Алена, бдительно повела носом.

— Ну, ты даешь!!! — сказала она и нервно сглотнула. — Что это было вообще?

— Почки, — ответила Юлька. — Почки один раз царице.

* * *

Они сидели в комнате на диване, допивали вино и с неохотой доедали початую банку оливок. Аппетит пропал, как не было. Остывала в духовке печеная картошка, кис на столе салат. Что было делать с царским блюдом? Надо бы выбросить, да побыстрее, пока сковорода не пропиталась, но ни одна не могла заставить себя вернуться в кухню и хотя бы приоткрыть крышку. Юлька жаловалась, что любит, а он, он... целых десять дней... десять, представляешь!.. и рыжая эта... Алена утешала, по волосам гладила — подожди, мол, одумается, сам приползет», — но легче от этого не становилось, а совсем наоборот, хотелось разреветься горько, уткнувшись подруге в плечо.

В дверь позвонили. Настойчиво, три раза. Юлька открыла.

На пороге стоял подвыпивший Валера. В огромных ручищах подрагивала тщедушная веточка кустовой гвоздики.

— Привет, Юль! Я тут мимо шел. — Валера протянул Юльке веточку и, не спрашивая разрешения, стал, неловко покачиваясь, стягивать кроссовки.

Юлька отложила веточку под зеркало и наблюдала, скрестив руки на груди, как он возится, тщетно пытаясь расшнуровать тугой мокрый узел.

— У тебя поесть нету? — спросил вконец запыхавшийся Валера, с трудом разгибаясь.

— На кухне, — холодно ответила Юлька и вернулась в комнату на диванчик.

Долгих пятнадцать минут просидели подруги тихо, точно мыши, и все прислушивались к звукам, доносящимся из кухни. Но звуки были вполне себе мирные, домашние — что-то брякало и звякало, хлопнула духовка, ложка ли, вилка упала и покатилась по полу, зашумел электрический чайник.

А потом в комнате возник Валера. Он вошел, загородив огромными плечами дверной проем, неуверенно кивнул Алене и со словами: «Вот за что люблю тебя, Юлёк! Готовишь а-бал-ден-но!» — тяжело плюхнулся в кресло. Подруги как по команде ринулись в кухню.

Все было кончено. В раковине отмокала сковорода, придавленная салатницей, тарелкой и ложкой, а на плите, готовый вот-вот сорваться, лежал противень, уже без картошки.

— Эй! Вы куда сбежали-то? — В кухню бочком вдвинулся озадаченный Валера. — Дай, Юлёк, я тебя поцелую!

Он обнял ее за шею и потянулся губами, изо рта пахнуло царским блюдом. Юльку замутило. Она резко вывернулась и шагнула к раковине, пустила воду. И чем ее так привлек этот кабан здоровый? Ничего-то она сейчас к нему не чувствовала. Одно только мстительное удовольствие.

— Иди, — сказала, — со своей рыжей теперь целуйся! — И стала отмывать грязную сковородку.

Инфанта

Она тихонько раскачивается на табурете, упираясь пятками в пол. Вперед-назад. Маленькая, всклокоченная. Ручки сердито скрещены под грудью.

— Не качайся, — говорю. — Сломаешь.

— Новую куплю!

И опять вперед-назад, вперед-назад. Купит, как же. Много она тут напокупала.

Сидит, уставившись в одну точку, куда-то между вытяжкой и газовой трубой. В спутанных волосах старый крабик с поломанными зубами, он беспомощно свисает за правым ухом. С другой стороны пряди выбились и торчат. Она опускает голову и начинает рассматривать свои ступни. Вверх-вниз. Тапки Пашкины, велики на пять размеров и едва держатся на пальцах.

— Я замуж выхожу...

— Опять?! — Пашка поворачивается от плиты, где шуршит на маленьком огне яичница. В одной руке у него скорлупа, в другой деревянная лопаточка. Как держава и скипетр. — С ума сошла?

— А что? — отвечает она с вызовом. — Нельзя?

— Теоретически? Теоретически — можно. — Пашка явно ее дразнит.

— Я, между прочим, взрослый человек!

— Да ну? — Брови Пашкины ползут вверх, скипетр и держава тоже. Он хочет подчеркнуть, насколько удивлен.

— Как же вы мне надоели, а... — произносит она устало, без выражения.

— На, — говорю, — лучше кофе выпей.

Она вцепляется в чашку, подставляет лицо под струйки ароматного пара, с наслаждением прикрывает глаза.

— Расческу дать? Хочешь, крабик переколю?

— Не надо!

Инфанта

— Где ты ночевала вчера?

— Вам-то что?

— Как это что? — Пашка начинает злиться. — Мы тебе, между прочим, не чужие!

— Как же, не чужие... Хуже чужих! — Она греет ладони о чашку, руки дрожат, и чашка в них дрожит. — Чужие-то нос не суют не в свое дело!

— Не в свое? — Скипетр взлетает над шипящей сковородой, и в стороны летят белые ошметки.— Ну, знаешь! — Пашка хватает тряпку и начинает яростно протирать столешницу и плиту.

Вытяжка низко воет на одной ноте.

— Как же мне надоело от вас зависеть, — шепчет она вроде бы себе под нос, но так, чтобы мы услышали.

— А нам? Нам от тебя, думаешь, не надоело?! — Пашка поворачивается ко мне, начинает почти спокойно: — Пусть делает что хочет. — Речь его едва уловимо ускоряется, голос становится выше. — Достала. Ты как знаешь, а я ее больше вытаскивать не буду!

— Вот и не лезьте, не лезьте! Повторяю: я взрослый, самостоятельный человек!

— Взрослый — это положим. Но самостоятельный?! — Пашка продолжает дразнить.

Вперед-назад, вперед-назад. Все быстрее. Табурет яростно скрипит. У нее делается злое, заостренное лицо. Щеки впалые, под глазами серо. А в глазах уже стоят слезы, вот-вот прольются.

— Что вы вмешиваетесь все время? Что вы лезете ко мне?! — выкрикивает истерично. — Я вам надоела, я знаю!!!

— Ну что ты такое говоришь? Что значит надое...

— Вышла бы лучше за Филитовича... Чего влезли?!

— Не начинай. Филитович — алкоголик.

— Тогда за Алика! — не слышит она. — Освободила бы вас раз навсегда!

— Алик был аферист, — возражаю я.

— И мудак, — добавляет Пашка.

— Я его любила!

— Ты его, он — нашу жилплощадь. Прямо любовный треугольник! — добивает Пашка.

— Дурак! Оба вы дураки! Много вы п-понимаете в моей жизни! — Она стучит в грудь худеньким остреньким кулачонком, начинает заикаться. По щекам наконец-то катятся слезы.

— Ну а новый твой, кто он?

Осторожно глажу ее по волосам, но она уворачивается. Протягиваю носовой платок. Берет, громко сморкается и прячет мокрый комочек в рукав халата. Не отвечает.

— Хороший человек? Надежный?

— Вам-то что?

— Да так... — Пашка выкладывает яичницу, посыпает укропом. — Дай угадаю. У него сейчас кризис. Ему жить негде. Или работать? Или жить и работать? Так? Но вообще-то он, конечно, о-го-го.

— Заткнись!

Пашка хмыкает. Ставит возле нее горячую тарелку. Подает вилку и нож.

Она разворачивается к столу и начинает механически есть, отламывая кусочки яичницы. Нож зажат в кулаке и неподвижно торчит лезвием вверх, а она работает одной вилкой, глотает почти не жуя, обжигается и плачет.

— Правда, Паш, перестань. Ей и так плохо... Где платок?

Она послушно достает платок из рукава и снова сморкается. Пытается спрятать раскисшую тряпочку обратно.

— Дай сюда! Грязный уже!

Отбираю платок и достаю из кармана новый, накрахмаленный. Всхлипывает, сморкается, прячет комочек в рукав.

— Почему не позвонила вчера? — спрашивает Пашка примирительно. — Мы ведь волновались. Ну сколько тебя просить? Это же так просто — набрать номер.

— Деньги кончились, — отвечает она и вдруг давится, хватает воздух открытым ртом. Горячо.

— Опять? Я же тебе недавно клал!

— Мне нужно было срочно переговорить с одним человеком... По работе.

— Ты нашла работу? — Пашка искренне удивлен.

— Нет.

— Так я и думал.

И тут ее прорывает. Она отпихивает пустую тарелку, вскакивает, хватает Пашку за грудки. Стоя перед ним на цыпочках, выкрикивает в лицо:

— А ты попробуй, попробуй! Устройся! Ты молодой, тебе легко говорить! А мне сорок пять, кому я нужна?!

Пашка стоит перед ней, опустив голову, и даже не пытается сопротивляться. Только шею слегка наклонил, чтобы ей было удобнее кричать.

— Я! Выхожу! Замуж! Замуж!

— Ну всё, мам, всё... — Я осторожно отцепляю ее худенькие сильные пальцы от Пашкиной футболки. — Не кричи. Нам сегодня к первой паре, мы опаздываем уже.

— Да пошли вы...

Она отпускает Пашку и возвращается на табурет. Опускает руки между колен. Кладет голову на руки. Вперед-назад, вперед-назад. Беззубый крабик плюхается на линолеум и замирает. Немытые волосы рассыпаются по плечам.

— Правда, Паш, пойдем. Время.

Я тяну брата за руку, увожу с кухни. Он молчит, только желваки ходят.

Она сидит в той же позе.

— Ма-ам?..

Не реагирует.

— Там в холодильнике суп. В обед поешь...

154

Она поднимает голову, смотрит на меня почти с ненавистью:

— Только чтобы не поздно! Чтобы в семь были дома!

— Хорошо, мам.

Мне сегодня до одиннадцати, Пашке вообще в ночь. Быстренько влезаю в кроссовки и хватаю рюкзак. Мы с Пашкой выходим из квартиры.

— Идея! — говорит Пашка многозначительно.

Он запирает дверь на все замки и выворачивает карманы. Улыбается. Достает еще три связки ключей:

— Вот! Все здесь!

Учись, говорит, спокойно. Работай спокойно. Куда она денется?

ЛАРИСА ПАВЛЕЦОВА
Немного импровизации

Все приглашенные явились одновременно, и в гостиной тут же стало тесно, шумно и весело. Чета Даниловых решила отпраздновать серебряную свадьбу скромно, но и самых близких друзей набралось около десятка.

— С юбилеем, дорогие мои! — Соседка Нина Петровна первой кинулась обнимать хозяев. — Половина пути уже пройдена. Теперь еще столько же — и зовите нас на золотую свадьбу!

— И мы придём! Приползём! — радостно загомонили гости.

— Марина, ты хорошеешь с каждым днем! Хоть сейчас на обложку! — Светлана Дмитриевна трудилась в журнале «Силуэт» и частенько мыслила подобными категориями.

Марина Михайловна рассеянно кивала, не успевая принимать букеты и свертки в шуршащих обертках.

Немного импровизации

Мужчины вели себя не в пример тише своих спутниц. Обменялись рукопожатиями и сразу же отправились курить на балкон, обсуждая какую-то животрепещущую тему.

А женщины уже склонились над толстым свадебным фотоальбомом.

— Ой, смотрите-смотрите — это же мой Петр здесь. Молоденький!

— Платье-то, платье на тетке какое! Ох, и мода была! И мы такой ужас носили!

— А это что за дети? Неужто Ткачевых? Ну надо же! Сейчас у них уже свои растут.

— А Марина со Славиком какие здесь красивые! И как друг на друга смотрят! Сразу видно — любовь! С первого взгляда, наверное, и на всю жизнь. Правда, Мариночка?! — восторженно воскликнула лучшая подруга хозяйки.

— Светочка, я же рассказывала, как мы познакомились! — замахала руками Марина Михайловна.

— Нам не рассказывала, — заволновались остальные. — Наверное, это очень романтическая история, правда, Славик? — обратились они к появившемуся на пороге комнаты хозяину.

— Очень романтическая, — прищурившись, подтвердил Вячеслав Николаевич. — Она меня покорила с первого взгляда. Просто приворожила!

— Ох, скажет тоже! Не слушайте его, девочки! — отмахнулась Марина Михайловна, слегка порозовев.

*** *

— Ты меня вообще слушаешь? Чем ты занимаешься? — раздраженно прошипела Люська. Прошипела — потому что на лекции громкие разговоры возбранялись. А раздраженно — потому что Марина почти не реагировала на ее пламенную речь, разлиновывая какой-то лист бумаги.

— Я слушаю, слушаю, — отложив линейку, прошептала Марина. — Мне просто ведомость нужно заполнить, подписать у старосты курса и сдать в деканат. И все это до завтра.

Она старательно, хоть и немного криво, вывела на обороте листа: «Посещаемость лекций и семинаров студентами 23 группы» и залюбовалась результатом.

— Ах, да! — насмешливо фыркнула Люська. — Обязанности старосты группы, понимаю. Ну и что ты думаешь по этому поводу?

— Да всё нормально вроде, — неуверенно пожала плечами Марина. — Пропусков у нас мало, и все по уважительной причине.

Люська страдальчески закатила глаза. И было от чего. С самого начала лекции она последовательно развивала мысль, что в их институте законы статистики не работают. Может быть, в каком-то благословенном месте на десять девчонок и приходится почти равное количество парней, но только не у них. Здесь соотношение один к десяти, и конкуренция слишком жесткая.

Немного импровизации

А поскольку они обе не красавицы, нужно немедленно брать инициативу в свои руки. Ведь не хотят же они остаться в старых девах!

— Почему это мы не красавицы?— слегка обиделась Марина.

— Здрааасьте! Ты на себя в зеркало смотрела? На тебя никто внимания не обратит, особенно когда такие феи рядом, — махнула рукой Люська в направлении последнего ряда, где несколько эффектных девиц окружили старосту курса Славу Данилова. Соседство, кажется, не слишком радовало молодого человека — постоянно отвлекаемый то одной, то другой красоткой, он тщетно пытался сконцентрироваться на лекции.

Марина почувствовала себя крайне уязвленной.

— Может быть, я просто не хочу добиваться чьего-то внимания.

— Ну конечно! — презрительно сморщилась Люська. — «Просто не хочу!» Думаешь, если бы захотела, то за тобой бы все бегали и штабелями падали, да?

— Вот именно! Но я не хочу. И хватит уже об этом! — с досадой шепнула Марина и опасливо покосилась на лектора, бросившего уже третий недовольный взгляд в их сторону.

Но Люська не сдавалась:

— А ты захоти! Очень любопытно было бы посмотреть, как ты заинтересуешь кого-то. Не обязательно

Данилова, так и быть, это слишком трудно. Возьмем, к примеру...

— Возьмем как раз Данилова, — оборвала ее Марина. — Если через три дня он не позовет меня на свидание, я тебе принесу коробку конфет, и ты от меня отстанешь до получения диплома.

— Идет! — обрадовалась Люська. — Учти, я люблю «Птичье молоко».

Дурацкий разговор не шел у Марины из головы даже вечером. В комнате студенческого общежития она придирчиво рассмотрела себя в карманное зеркальце. Да, внешность самая обычная. Правда, стройная фигурка и волевой подбородок, особенно если повернуться вот так и чуть-чуть поднять голову, но на этом перечень достоинств и заканчивался. Волосы то ли русые, то ли рыжие, глаза какие-то серые, а нос... Разве это красивый нос? А уж веснушки на этом носу совершенно ужасны. Нет, никаких шансов, особенно с такими веснушками, — красотки с курса затмят ее, не прилагая усилий, а староста в ее сторону и не взглянет. Он даже в ведомости посещений всегда ставит закорючку, даже не посмотрев, кто ему протягивает лист на подпись. Значит, нужно просто купить Люське коробку конфет и надеяться, что она ненадолго успокоится. И смириться с тем, что на такой нос с веснушками никто никогда не польстится. Она останется старой девой, как пророчит Люська, и будет тихо доживать свой век в одиночестве.

Немного импровизации

Вздохнув, Марина взяла чайник и направилась на общую кухню. Там курила в форточку Машка — рослая пятикурсница с громовым голосом и бульдожьим профилем. Красотой она не блистала, и трудно было поверить, что у нее случались романтические отношения. Но, тем не менее, именно за ней прочно закрепилась слава знатока человеческих душ. К Машке частенько забегали девчонки — поговорить «за жизнь», иногда погадать на картах, — и всегда уходили умиротворенные и довольные полученным советом.

— Ты чего такая кислая? — довольно равнодушно поинтересовалась она у Марины. — Двойку, что ли, получила?

— Это личное, — шмыгнула носом Марина и неожиданно для себя расплакалась.

— Да ладно тебе! — Машка сочувственно хлопнула ее по плечу. — Что, парень бросил? Наплюй и разотри! У тебя сто таких будет, у такой-то красотки!

Услышав эту бессовестную ложь, Марина зарыдала с удвоенной силой.

— Не веришь? — удивилась Машка. — Пойдем ко мне, я тебе погадаю!

И могучей дланью увлекла Марину за собой.

В комнате Машка плюхнулась на кровать, отчего панцирная сетка жалобно заскрипела.

— Имя? — деловито спросила она, привычными движениями тасуя карты.

— Чьё? — еле слышно отозвалась Марина.

— Ну не мое же! Его имя, который бросил.

— Да нет, Маш, всё не так, — сбивчиво начала Марина.

И слово за слово, незаметно для себя, она рассказала Машке и про неблагоприятную статистику, и про спор с Люськой, и даже про веснушки на носу, уничтожавшие единственный шанс понравиться хоть кому-нибудь, не говоря уже про Славу Данилова. Машка понимающе кивала и в нужных местах негромко восклицала: «Да ну? Подумать только!» Странно, но, выговорившись, Марина словно сбросила с себя добрую половину угнетающих мыслей. Теперь понятно, почему Машку ценят. Так слушать мало кто умеет. Даже близкие подруги трещат наперебой, в лучшем случае молчат, нетерпеливо ожидая, когда придет их очередь высказаться.

Когда Марина наконец умолкла, Машка в раздумьях забарабанила пальцами по коленке.

— М-да, вот тут проблема. Сроки сжатые, конкуренция напряженная, проверенные методы сработали бы, но время, время... А раз проверенные методы не подходят, то мы...

— Переходим к плану «Б»? — робко подсказала Марина.

— Ищем нестандартные решения! — отрубила Машка.

— Немного импровизации! — обрадовалась Марина.

Немного импровизации

— Можно и так сказать. Итак, обычные методы не подходят. Значит, необычные. Какие ты знаешь нетривиальные решения?

Марина подняла глаза к потолку. Необычные — все носят мини-юбки и макси-вырезы, а она наденет балахон с капюшоном. Непроверенные — красотка ласково положила бы ему руку на плечо, нежно воркуя, а она хлопнет его с размаху и гаркнет: «А пошли-ка по пивку!» Нестандартные, нетрадиционные, фантастические, сказочные, волшебные...

— Ну? — потеряла терпение Машка, — Чего молчишь? Ничего в голову не пришло?

— Только чепуха какая-то, — призналась Марина. — К примеру, его можно заколдовать. Потому что в здравом уме он на меня и не посмотрит.

Голос ее снова предательски дрогнул, и глаза зачесались. Она ожидала издевательского смеха, но к ее предложению отнеслись на удивление серьезно. Машка на секунду задумалась, потом поднялась и решительно начала рыться на книжной полке.

— Вот! — Она торжествующе подняла над головой какой-то потертый, исписанный от руки листок бумаги в клеточку. — Верное средство! Приворот!

— Приворот? — пискнула Марина. — Настоящий?

— Самый, что ни на есть! — оживленно потирала руки Машка. — Слушай внимательно! Три раза прочитаешь его над какой-нибудь вещью, а потом эту вещь дай ему прямо в руки. Кто первый коснется наговоренного предмета, тот тебя и полюбит на всю жизнь!

— Мне не надо на всю жизнь, — запротестовала Марина. — И вообще, я пошутила. Не верю я во все эти штуки. Я пойду, наверное.

— Подожди-подожди! — Похоже, Машка сама загорелась идеей. — Конечно, не на всю жизнь. Приворота хватит... Недели на две. Устроит?

— Не знаю, Маш. Да и вещи у меня нет. Обойдусь я без приворота. Спасибо, конечно...

— Куда пошла?! — рявкнула Машка. — Сказано тебе — возьми яблоко какое, над ним три раза прочитай и завтра ему отдашь. Только помни — тебя полюбит тот, кто первым до яблока дотронется. Так что ему прямо в руки! Вечером придешь и доложишь результат. Ясно?

Марина судорожно кивнула, схватила листочек и выскочила из комнаты.

Задача сильно осложнилась. Яблока не было. Да если бы и было — Марина не могла себе представить, как это должно произойти. Придет она завтра на занятия и скажет: «Здравствуй, Славик, а я вот тебе яблочка принесла!» У Данилова челюсть со стуком упадет на парту, а его вечные поклонницы захихикают и покрутят пальцем у виска. От представленной картины по спине побежали мурашки.

Значит, думаем дальше. Например, можно ручку заговорить. А потом, когда Славина ручка перестанет писать, предложить ему. А если не перестанет — ни завтра, ни послезавтра? Тоже не подходит, да еще и приворот к тому времени выдохнется, чего доброго. Тогда что? Марина вытряхнула содержимое сумки на кровать. Подсунуть ему невзначай зеркало? Расческу? Тетрадь, учебник, методичку? Минуточку, а это что за бланк? «Посещаемость лекций и семинаров студентами 23 группы». Не забыть бы завтра подписать у Славки ведомость и сдать в деканат.

Ведомость! У Славки!

Марина даже слегка подпрыгнула от радости. Если приворот сработает, это будет означать, что у нее паранормальные способности. Тогда газеты запестреют заголовками статей: «Предсказание будущего и содержания экзаменационных билетов!», «Снятие порчи и венца безбрачия!», «Возврат старых долгов и блудных сыновей!». И везде ее фотографии — сосредоточенной, таинственной, красивой...

Проверив, заперта ли дверь, она прижала ведомость к груди и вполголоса начала читать слова, выведенные четким округлым почерком.

На утренней лекции Марина появилась одной из первых. Заняла место у прохода, выложила на стол ведомость и стала ждать. Славка непременно пройдет мимо нее. Она протянет лист на подпись, он распишется, не глядя, как всегда делает каждую неделю, и пойдет себе дальше. Никто ничего и не заметит. Главное, чтобы он первым коснулся заговоренного предмета, иначе план провалится.

— Ты уже здесь? С утра не спится? — хихикнула подошедшая Люська. — Готова к трудовому дню? Что это у тебя? — и потянулась к ведомости.

— Не дотрагивайся! — не своим голосом завопила Марина.

Люська в испуге отскочила в сторону.

— Что это? — ошарашенно спросила она.

Марина уже справилась с собой и вполне спокойно ответила:

— Ничего особенного. Не видишь — ведомость.

— А почему ее трогать нельзя? — шепотом осведомилась Люська.

— Зачем тебе ее трогать? — напряженно ответила Марина, потому что как раз в этот момент в дверях аудитории показался Данилов. Люська, надувшись, отодвинулась на дальний край парты.

— Слава, подпиши, — дождавшись, когда староста подойдет поближе, попросила Марина и придвинула бланк на край стола.

— Только не дотрагивайся! — ехидно предостерегла Люська из своего угла.

Слава отдернул протянутую руку и подозрительно посмотрел на обеих.

— Слава, не слушай ее, — с достоинством произнесла Марина. — Выдумает тоже — «не дотрагивайся»! Как это, интересно, ты подпишешь, если не дотрагиваться? Ты подписывай, подписывай.

От неожиданного предательства Люська потеряла дар речи. Слава взял ведомость и поставил росчерк, несколько раз при этом искоса посмотрев на Марину. Та сохраняла самый невозмутимый вид.

Слава сунул сумку под мышку и направился было к своему постоянному месту, но на полпути неожиданно поменял курс.

— Здесь свободно? — вернулся он к Марине.

Она зарделась и подвинулась, освобождая ему место.

В течение всей лекции заинтригованный староста не терял надежды получить ответ на вопрос: «Что это было?» Поэтому периодически он подталкивал соседку локтем и вопросительно поднимал брови.

— Действует! — торжествующе прошептала Марина после звонка.

Люська только ошеломленно покачала головой.

* * *

Наконец гости переместились за праздничный стол.

— Мариночка, заливное просто изумительно! — восторгался коллега Вячеслава Николаевича.

— Да-да! — согласилась Нина Петровна. — Запиши мне потом рецептик.

— Я никогда не готовлю по рецептам. Просто беру то, что есть в доме, немного импровизации — и готово! — слегка удивилась Марина Михайловна.

— В кулинарии очень важны пропорции, — чопорно заметила ее сотрудница Ираида. — Если их не соблюдать, ничего хорошего не получится.

— Не могу строго следовать рецептам. Наверное, пропорции я подобрала методом проб и ошибок, — засмеялась хозяйка. — У меня на это было целых двадцать пять лет!

* * *

Семейную жизнь нужно было срочно спасать. К такому выводу пришла Марина, изучив статью «Путь к сердцу мужчины» в журнале с яркой обложкой. Все шесть с половиной месяцев семейной жизни она готовила банальный омлет, предсказуемое картофельное пюре, заурядный рассольник и еще пару-тройку стандартных блюд. Статья открыла ей глаза — их со Славиком брак буквально в шаге от катастрофы. Новобрачный тихо изнывал без галантина из утки, котлет де-воляй и тарта-фламбе. Очевидно, только врожденная деликатность не позволяла ему решительным образом выступить против такого тривиального меню.

Немного импровизации

— Итак, приступим! — твердо сказала Марина, положив на кухонный стол журнал, открытый на странице с каким-то замысловатым рецептом.

На пороге моментально появилась особа, которую Марина слегка побаивалась.

Женившись, Славик принес к семейному очагу приданое — трехцветную кошку Маргошку. Та к его выбору отнеслась неодобрительно, вероятно считая, что хозяин слишком рано покинул родительский дом. Кошка решила заменить ему родную мать, которая, в Маргошкином понимании, обязана была следить, чтобы новобрачная не наделала глупостей. Именно поэтому в отсутствие Славика кошка ни на шаг не отходила от жены хозяина, контролируя каждое действие.

Марина решила приготовить нечто, именующееся в рецепте как «Имам баялды», что в вольном переводе означало «Имам в обмороке от блаженства».

— Для начала подготовьте овощи для начинки, — вслух зачитала Марина и беззаботно добавила: — Ничего сложного! Султан у меня обалдеет.

С легкостью справившись с первым заданием, Марина воодушевилась и даже начала напевать, к чему Марго отнеслась с полным неодобрением.

— Баклажаны обжечь на огне, разрезать и подготовить для фаршировки, — озвучила Марина свой следующий шаг. — Всё получится как нельзя лучше. Шах потеряет сознание.

«Ну-ну!» — читалось в скептическом кошачьем взгляде.

Взгляд Марина проигнорировала. Немного подумав, чиркнула спичкой и поднесла ее к одному из баклажанов. Огонек печально угас, оставив на боку овоща крошечное черное пятнышко. Та же участь постигла и вторую спичку. И третью тоже, после чего Марина прикинула требуемое количество спичек, сравнила с домашними запасами и загрустила. Марго торжествующе прищурилась.

— Ничего! — бодро произнесла Марина. — Их можно опалить на плите. Как курицу.

Марго на всякий случай перебралась в угол подальше.

У баклажана с курицей оказалось слишком мало общего. Наверное, именно поэтому опаливаться на плите он не пожелал, выскользнул из рук и, пружинисто отскочив от пола, улетел в дальний угол.

— Эх ты, глупое создание! — укорила Марина перепуганную Марго. — Где твоя кошачья реакция? Ты и от мышей бы под столом пряталась?

Кошка ее ответом не удостоила.

— Неважно, баклажаны можно и не обжигать! — утешила ее Марина. — Достаточно ошпарить кипятком, чтобы из них вышла вся горечь!

Марго поспешно подобрала хвост.

— Я же говорила! — удовлетворенно произнесла Марина чуть позже, смазав ожог маслом. — Теперь удалим сердцевину, чтобы положить туда фарш. Можно выскоблить, как яблоко.

К ее удивлению, баклажан на срезе совсем не походил на яблоко и скоблению не поддавался. Кошка, отвернувшись, вылизывала лапку и интереса к происходящему не выказывала. Марина вздохнула:

— Совсем не обязательно слепо следовать рецепту. Добавим немного импровизации. Сердцевину можно вырезать ножом. Это даже проще. И места для начинки будет больше, выйдет еще вкуснее. Падишах будет просто в шоке.

Прицелившись, она воткнула нож в мякоть и взвизгнула — острие пронзило овощ насквозь.

Заклеив ладонь пластырем и выбрав нож, выглядевший наиболее безобидно, Марина начала выковыривать у баклажана кусочки сердцевины.

— Совсем немного осталось, — подбодрила она себя. — Осталось лишь заполнить их начинкой, переложить в форму, поставить в духовку и запечь. Как раз к приходу Славика будет готово.

Выполнив необходимые действия, она полистала журнал, отыскала статью «Самые актуальные цвета сезона» и направилась в комнату. Кошачий конвой потрусил следом.

Когда «актуальные цвета» и «модные тенденции» были дочитаны, и даже «советы психолога» подходили к концу, по квартире поплыл странный запах. Марина сломя голову кинулась на кухню. Марго проявила завидную выдержку и поползла туда же, но держась поближе к стене.

— Магараджа точно откинет коньки, если это попробует, — мрачно изрекла Марина, обозревая обугленные баклажаны.

«Ну и кто тут глупое создание?» — Марго изогнула хвост вопросительным знаком.

Окна были распахнуты настежь, а баклажаны выброшены. Семейная жизнь рушилась. Новобрачный должен был вот-вот вернуться домой. Осознав, что остался без ужина, он непременно скажет что-то ужасное. Например, что готовить она не умеет, и хозяйка она плохая, и вообще, зачем он на ней женился. Но Марина не останется в долгу, нет! Она ему найдет что возразить, и тогда он... А она в ответ...

В воображении развернулся сценарий, в котором они припоминают друг другу все грехи, накопившиеся за полгода совместной жизни. Закипая от возмущения, Марина соорудила самое простое и быстрое блюдо, на которое была способна, — макароны по-флотски. Не успела она выключить плиту, как раздался звонок в дверь.

Марго помчалась встречать хозяина, несомненно предвкушая громкий семейный скандал.

Славик, появившись на пороге, подозрительно принюхался.

— Горим? — весело спросил он.

— Горим, — напряженно ответила Марина.

— А почему горим? — так же весело поинтересовался он уже на кухне, приподнимая крышку сковороды.

«Вот, сейчас, сейчас он скажет: «Ну как всегда!», а я ему... А он мне... А я...»

— Да это же мои любимые макароны! — Восторженное восклицание прервало Маринины мысли.

— Я хотела сначала запечь баклажаны... — пролепетала она.

— Баклажаны? — поморщился Славик. — Терпеть их не могу.

«Королева в восхищении», — явственно читалось в потрясенном Маргошином взгляде.

***

Постепенно инициативу в разговоре прочно захватили женщины. Начались обсуждения магазинов, портних и парикмахерских. Хозяева не сразу заметили, как атмосфера за столом накаляется.

— Светочка! — обратилась к подруге хозяйка. — Тебе так идет новая прическа!

— Да-да! — согласилась Ираида. — Очень идет! Она не так старит тебя, как предыдущая.

Люди с тонкой белой кожей при малейшем волнении краснеют мгновенно. Светлана Дмитриевна не была исключением. Лицо ее покрылось пунцовыми пятнами, она нахмурилась и уже хотела что-то съязвить в ответ, но тут в разговор вмешался хозяин.

— А у меня никаких забот! — похвастался он, погладив блестящую макушку. — Примите к сведению, девочки: нет волос — и нет проблем! Чувствую себя как в двадцать лет. Ну или в тридцать.

Марина Михайловна, прикусив губу, поспешно отвернулась.

* * *

— Что, закрыто было? — ахнула Марина, когда Славик стряхнул снег с куртки и снял шапку.

— Одна была закрыта, а во второй очередь, — ответил тот.

— Так надо было подождать! — воскликнула Марина с досадой. — Новый год на носу, а ты заросший как медведь.

— Подождать? — Славика, видимо, такая перспектива не прельщала. — Ты бы видела, сколько там народу! Как раз до Нового года и прождал бы.

— У нас же планы на вечер! Я и Саньку уже к родителям отвела! — не успокаивалась Марина. — Ресторан заказан, люди придут приличные. Один ты будешь...

— Как медведь, — согласился Славик. — В шкуру завернусь, клыки наращу, а лохматость будет частью образа. По-моему, здорово! — Он взъерошил волосы и скорчил зеркалу страшную рожу.

— Юморист! Ильф и Петров в одном лице! — возмутилась Марина и выскочила в другую комнату.

Впрочем, через пару минут она вернулась с сияющими глазами. Славик, успевший войти в новый образ: постная мина и разделённые на прямой пробор прилизанные волосы, — насторожился.

— Я ведь и сама могу тебя подстричь! — обрадовала его жена.

— Ты не умеешь, — робко напомнил он, краем глаза оценивая путь к отступлению.

— Да что там уметь? — обнадёжила его Марина. — Конечно, умею! Я ещё десять лет назад, на первом курсе, Люську стригла!

У Славика не было выхода — в руках у Марины уже позвякивали ножницы. Вздохнув, он опустился на табурет и смиренно наклонил голову.

— Ты только не слишком много состригай, — всё-таки попросил он. — Просто подровняй.

— Спокойно, клиент! Мастер знает лучше! — и Марина ловко щёлкнула ножницами над левым ухом. — Глаз-алмаз! — похвалила она свою работу. — Теперь с другой стороны. Из меня бы вышел отличный парикмахер!

«А может, и не вышел бы!» — негромко добавила она секундой позже. Правый висок был сострижен так же ровно, но, к сожалению, несколько выше необходимого. Это недоразумение казалось легко поправимым, достаточно было лишь слегка укоротить слева. Марина старательно занялась выравниваем, убирая лишнее то с правой стороны, то с левой, но привести длину к общему знаменателю у нее никак не получалось.

— Что — глаз чуть-чуть не алмаз? — сочувственно спросил Славик.

— Ничего подобного! Просто у тебя асимметричное лицо, мучение для парикмахера! — сурово отвечала Марина. — Но не волнуйся — здесь я закончила, всё уже относительно ровно.

— Я не хочу относительно ровную стрижку! — запротестовал клиент, но мастеру было не до того. Она уже размышляла, как бы облагородить затылок.

— Просто держи ножницы параллельно голове и веди линию, — посоветовал Славик.

— Только мужчина-гуманитарий может ляпнуть такую глупость! — с превосходством заявил новоявленный стилист. — Голова же круглая! Как можно провести линию параллельно круглому предмету?

Гуманитарий пристыженно замолк. Ножницы щелкнули в центре затылка, и на этом месте образовалась небольшая проплешина.

«Перестаралась!» — с ужасом поняла Марина и поспешно стала филировать место преступления, чтобы оно не так бросалось в глаза. Результат был почему-то далек от ожидаемого: кое-где упрямо топорщились остатки волос, причем торчали они все в разные стороны.

Сначала казалось, что остатков этих не так много, но даже после долгой упорной работы стрижка не обрела приличного вида.

«Все равно, этого безобразия Славка в зеркале не увидит, — в конце концов решила Марина, — А там, где увидит, я постригу уже не так. Может, и правда держать инструменты по-другому? Добавить немного импровизации?»

Немного покрутив ножницы и расческу, она повернула их горизонтально и отстригла ровную линию параллельно полу. Пришла в ужас, увидев результат, и следующую прямую провела уже перпендикулярно первой. Лучше не стало — напротив, сейчас уже ничто не могло спасти положение. Убрав еще несколько клочков волос, Марина окончательно в этом убедилась, швырнула ножницы на полочку и заплакала. Славик приподнялся, заглянул в зеркало и тут же снова плюхнулся на табурет.

— Как называлась та стрижка, что ты делала Люське? — слабым голосом уточнил он.

— Лесенка, — прошептала Марина. О том, что Люська, посмотрев на свое отражение, обругала самозваного мастера криворучкой, повязалась косынкой и отправилась в ближайшую парикмахерскую, Марина вспомнила только сейчас. Как и о том, как смеялись мастера.

— В ресторан мы, конечно, не пойдем. — Славик собрался с духом и внимательно изучал в зеркале свой новый образ. — И вообще, я теперь никуда не пойду, разве только в парикмахерскую. И то, — добавил он, углядев одну из проплешин, — не раньше, чем через месяц.

— Почему через месяц? — умирающим голосом спросила Марина.

— Стрижка очень нравится потому что! — рявкнул клиент, окончательно потеряв самообладание.

— Нет! — неожиданно возразила Марина. — Мы пойдем прямо сейчас. Собирайся!

Славик продолжил упрямиться, но супруга проявила неожиданную твердость. И то верно — раз уж ресторан отменяется, сына нужно забрать от родителей и привести домой. Не пойдет же она одна, когда на улице уже темнеет.

В доме Марининых родителей царило предпраздничное оживление. Во всех комнатах горел свет, звучала музыка, а из кухни тянуло потрясающим ароматом.

— Как раз пироги готовы! — весело встретила их мама.

— А мы с дедушкой Мишей ёлку наряжаем! — сообщил скачущий вокруг Санька.

Следом спешил и сам дедушка — высокий широкоплечий бородач, радостно улыбающийся гостям.

— ЗдорОво! — пробасил он и протянул руку Славику.

Немного импровизации

— С наступающим! — вежливо сказал тот, снимая шапку.

В наступившей тишине оглушительно грянула музыка. Потом мама как-то странно всхлипнула, отвернулась к стене, и плечи ее мелко-мелко затряслись.

— Ни фига себе! — не сдержался Санька. Тут же захлопнул рот ладошкой, оглянулся на бабушку и шмыгнул в комнату, где зачем-то прибавил громкость музыки.

Только Михаил Николаевич сохранял спокойствие.

— Это что такое? — сурово спросил он Марину, кивнув на зятя.

Марина принялась было небрежно объяснять, что случилось недоразумение, но постепенно тон ее становился все менее веселым, голова опускалась все ниже, и наконец она умолкла на полуслове. Михаил Николаевич нахмурился и уже собирался что-то сказать, но тут Марина жалобно воскликнула:

— Папа, сделай что-нибудь! — и посмотрела ему в глаза своим особенным взглядом. Так она смотрела на него в пять лет, расколотив мячом мамину музыкальную шкатулку. И в десять лет, принеся домой первую «двойку». И в пятнадцать... Взглядом, полным безграничной веры, что папа может все спасти и исправить. Взглядом, который гарантированно работал всегда. Сработал и в этот раз. Михаил Николаевич непонятно хмыкнул и, пробормотав под нос странную фразу: «Строгай, внучек, — дедушка топором подровняет!» — достал откуда-то машинку для стрижки волос и бритву.

Через несколько минут лампочки люстры весело отражались на гладко выбритой голове. Нельзя сказать, что причёска «под ноль» очень шла Славику — худощавое лицо выглядело измождённым, а резко выделившиеся брови придавали ему разбойничий вид. Но, глядя в зеркало, он улыбнулся — впервые за последние пару часов.

— Лет на десять помолодел, — подбодрила тёща. — Все будут думать, что тебя в армию забирают. А теперь к столу!

— Нет-нет! Мы в ресторан, нас люди ждут! — жизнерадостно ответила Марина и подхватила супруга под руку. — За Санькой придём завтра, как договаривались.

Друзья уже сидели за столиком. Внешний вид Славика не остался незамеченным.

— О! У Славки новый имидж! — оживились они. — В армию собрался? Или в буддийский монастырь? Нет, я понял — жарко у нас сейчас? Правильно: легче дышишь — быстрее соображаешь.

Марина сохраняла невозмутимость, а Славик добродушно отшучивался.

— Уважаемый, можно на пару слов? — произнёс вдруг кто-то.

Немного импровизации

Веселый разговор смолк. Девушки испуганно вжались в кресла. Компания в недоумении уставилась на двух подошедших к столу бритоголовых субъектов с какими-то серыми лицами. Обращались они явно к Славику. Парни сжали кулаки и стали медленно подниматься из-за стола.

С трудом отцепив от запястья руку перепуганной Марины, Славик отошел с этими двумя к соседнему столику.

— Чего надо? — спокойно спросил он.

— Давно из санатория? — поинтересовался один из субъектов.

Славик попытался припомнить, когда в последний раз профсоюз расщедрился ему на путевку, но безуспешно.

— Где чалился? — добавил второй, с интересом наблюдая за работой мысли на лице собеседника.

— Чалился? — с трудом понял тот смысл вопроса. — Тут какая-то ошибка, я не...

Погладил себя по гладкой макушке и просветлел лицом:

— Это я просто... В армию ухожу!

Собеседники, кажется, поверили не сразу. Но, пристально посмотрев на Славика, снова оглянувшись на напряженную компанию, они согласились:

— Без обид, все путем! — и кивнули в сторону Марины: — Смотри, чтоб она тебя дождалась.

— Она дождется! — заверил их Славик и подмигнул жене.

Светлана Дмитриевна подняла бокал.

— Давайте выпьем за здоровье наших молодоженов! Двадцать пять лет вместе — это не шутка. Кстати, Мариночка, — повернулась она к подруге, — не хотела бы ты рассказать нашим читателям, как сохранить отношения с любимым человеком? Главный редактор как раз планирует к февральскому выпуску статью на эту тему.

— Написать статью? — Глаза Марины Михайловны распахнулись в изумлении. — Но я не умею! А впрочем, — подумав, добавила она, — может, и умею. Я же никогда не пробовала.

ТАТЬЯНА ПУШКАРЁВА
С ветерком

— Аааааааааааааааааааааа! — орала Таша, перекрывая звук мотора.

Эхо почему-то отвечало матерно. Мотоцикл несся внутри огромной трубы, проложенной для отвода паводковых вод под железной дорогой.

— Никогда ему этого не прощу, никогдааааааааааааааааа!

Мотоцикл промчался по улице райцентра, подкатил к ЗАГСу, и Андрей, ловко подхватив Ташу, занёс её внутрь, положил перед чиновницей два паспорта и заявление. Таша, оглушённая скоростью, трубой и ветром, промолчала на вопрос о согласии, только судорожно мотнула головой. Это сочли достаточным подтверждением.

Таше было тридцать два. Она жила в маленьком посёлке. Мать семейства. Ответственный работник. Секретарь местной партячейки (шёл 1978 год). И практически красавица. Не нынешняя глянцево-обложечная модель, а настоящая женщина. Женщина, у которой есть всё! Вот только мужчины нет. Таша уже два года была молодой вдовой с двумя малолетними детьми на руках. Муж нелепо погиб в ДТП. А среди немногочисленных жителей посёлка мужчин подходящего возраста было раз-два и обчёлся. Свободных и непьяных — того меньше. А уж на Ташин вкус и характер и вовсе никого.

Характер у неё был не то чтобы тяжёлый, нет. Он просто был. Например, если вечером приходил незваный гость (откуда бы взяться званым?), то Таша открывала дверь, держа в правой руке топор. Он был не слишком заметен в приоткрывшейся щели. Но иногда замечали, да. Ей было просто страшно за детей. Со стороны же казалось, что она решительно тюкнет топориком всякого, кто сделает неловкое движение.

Чуть позже сезонные разнорабочие (они каждый год приезжали на уборку урожая) оставили Таше щенка. Ну оставили и оставили. Собака в деревенском доме никогда не бывает лишней. Был он мышастой масти и со смешными огромными лапами. Звался Туман. Детям понравился, и ладно. А через полгода вырос в дога: сильный, невоспитанный и весёлый носился он по двору, сметая на своём пути грядки с помидорами, кусты георгинов, визжащих детей. Теперь незваные гости даже не доходили до двери, за которой у Таши стоял топор.

С ветерком

Однажды осенью Ташу позвали на свадьбу. Свадьбы в таких местах в то время касались абсолютно всех. Это потом, после девяностых, стало много чужих людей — беженцы из отпадающих республик, переселенцы из мест, в которых стало голодновато, горожане, позарившиеся на бросовые цены провинциальных домиков. А тогда в посёлке все были друг другу родственниками. Степень родства могла быть очень замысловатой и вовсе некровной (простой пример: племянник кума), но уж не настолько неочевидной, чтобы не позвать на свадьбу.

Таша принарядилась в голубое шифоновое платье (было ещё одно такого же покроя — от знакомой портнихи из райцентра — зелёное) и туфли на каблуках, завила кудри на своей русой голове и отправилась веселиться на чужую свадьбу.

И веселилась по полной программе. Пила вино, плясала, ела дважды обильную (деревенская и свадебная) еду, смеялась с подругами. Когда у праздника появились признаки вырождения и угасания, прибыли свежие силы — наконец-то добрались родственники и друзья с соседнего хутора. Радиолу переключили с лирических записей на танцевальные, заплескались по рюмкам штрафные и ещё какие там были положены опоздавшим гостям. Тосты, подарки, снова еда...

Среди прибывших был и незнакомый Таше молодой человек. Он обращал на себя внимание густыми усами и вьющимися волосами неприличной длины (почти до плеч!). Небольшого роста, но хорошо сложённый, с сильными руками — рубашка на бицепсах туго натягивалась при движении, — в каких-то невероятных клешёных штанах... В общем, девушки им интересовались.

Таша же, оказавшись рядом, заметила тоном классной руководительницы (у неё, кстати, в анамнезе было недолгое директорство в маленькой начальной школке): «А что это, молодой человек, у вас такие косы на голове? Приходите в гости, постригу». Это было не приглашение, а так, болтовня весёлой и слегка нетрезвой женщины, но подстричь Таша могла, это правда. Девчонок своих малолетних, деда-соседа, сына его облагораживала, иной раз и подругам ровняла отросшие чёлки да хвосты. Сказала да и забыла. До того ли.

Спустя неделю в Ташину дверь постучали. Туман не лаял — вероятно, унёсся по своим туманным кобелиным делам. По голосу, который откликнулся на её «Кто там?», она не опознала гостя. Поэтому дверь открывала, как и раньше, с топором в руке. В сумерках она с трудом узнала свадебного знакомца. Имени не вспомнила. На вопрос, зачем пожаловал, простодушно удивился: как зачем? Стричься!

Молодой человек назвался Андреем. Андрей так Андрей. Таша постригла юнца — при ближайшем рассмотрении он оказался именно юнцом. Было ему двадцать четыре. Восемь лет разницы! У Таши несмотря на позднее время визита даже не появилось никаких мыслей вольного характера. Двадцать четыре! Мальчишка.

С ветерком

Только когда сливала из ковшика воду ему на спину, чтобы смыть мелкую сечку волос, почувствовала, как по телу прошла лёгкая судорога. Словно ветер на воду дунул. И стало горько, как бывает горько от сознания: в твоей жизни этого не будет...

Через неделю Андрей явился снова. И спустя ещё несколько дней. Он всегда приходил в темноте, чтобы любопытный деревенский люд не подумал чего плохого о Таше, а уходил около пяти утра — как раз хватало времени, чтобы добраться до соседнего хутора, поспать часок и отправляться в поле. Андрей работал пока трактористом. Пока — потому что учился заочно на инженера. То есть в города от сельской своей жизни убегать не собирался, но и на тракторе горбатиться до пенсии был не готов.

Роман этот длился с ранней осени до глубокой весны, и всё было хорошо. Но Андрею пришло время ехать на летнюю сессию. И тут началось. Андрей стал просить Ташу выйти за него замуж. Таша не верила своим ушам. Он, этот мальчик, этот красивый, умный, весёлый мальчик, лучший жених на три колхоза, просит её руки. Нет. Ни-ко-гда! Что скажут дети? Что скажут люди? И вообще — он же через год пожалеет. Это что ж, разводиться? Что скажут люди? Она же старуха. Ей тридцать два. А у него всё впереди. И что скажут люди?

Но Андрей был настойчив. В конце концов он перешёл к откровенному шантажу. Сказал, что если она не выйдет за него замуж, то он никакую сессию сдавать не поедет. Понимаете? Высшее образование — коту под хвост. Инженерство — коту под хвост. Никуда он не поедет. Дурак, право слово.

Было хорошее субботнее утро. Солнечное, тёплое. В понедельник Андрея ждали в институте. В ЗАГСе райцентра, если не устраивать торжественной регистрации, их распишут прямо на месте. Отступать некуда. Таша посмотрела сначала на зелёное шифоновое платье, потом на голубое. Выбрала его. К дому на мотоцикле — впервые днём! — подъехал Андрей.

Вещий кот

Соберу я в солдатский мешок свои плюшевые игрушки, миску, ложку, лоток, поводок...
Дмитрий Воденников

Нашкодивший кот сидел на принтере и изо всех сил делал вид, будто происходящее его абсолютно не касается. Морда его от этого была похожа на лицо обмочившегося в постель первоклассника, который не хочет рассказывать маме о конфузе, но не знает, как самостоятельно справиться с проблемой. Сложная такая морда, в общем. Кот старательно игнорировал вопли хозяйкиного самца, вопли хозяйки и те пять предметов, в которые превратился один предмет, лежавший до этого на принтере.

— Господи, Катя, это же новый айфон, я его четыре дня как купил. Тварь! — кинул Максим коту. — Вдребезги ведь. Ну, накажи его как-нибудь, я не знаю, это же твой кот. Убери его отсюда. Тварь! Гад хвостатый!

Он шлёпнул кота, тот, коротко крутнувшись в воздухе, тяжело шмякнулся неподалёку. Кот был старый. Кота подарил Кате папа, уже покойный. Поэтому кота Максиму трогать не стоило.

Скандал разгорался, децибелы и страсти росли по экспоненте, и не было ни одной точки, где они могли бы обратиться в ноль. Но внезапно математическая аналогия перестала быть корректной, ибо в комнате повисла гробовая тишина. Фраза из мультика «Трое из Простоквашино», та самая — «Выбирай: или я, или кот», — в жизни звучала совсем не смешно. Глупо — да. Странно. Страшно. Вот именно, что страшно. Потому что Катина жизнь рушилась и летела в тартарары из-за какого-то айфона, из-за какой-то мерзкой железки, и это творит человек, с которым они собирались сегодня подавать заявление в ЗАГС.

Внезапно Катя увидела, что за её спиной с книжного шкафа медленно падает огромная ваза, которую ей когда-то подарил Максим, ещё слабо разбираясь в её вкусах и пристрастиях, и которую она не любила — и за размер (туда было нечего поставить, кроме роз в половину её роста, а ей нравились мелкие цветы), и за цвет (какой-то коричневато-красный, а она предпочитала холодные оттенки), и за тяжеловесность. Плавное движение вазы сопровождал какой-то протяжный звон, обернувшийся будильником на том самом айфоне. Гаджет был цел. Максим спал. И только кот сидел на подоконнике со сложным выражением лица, будто он только что вышел из противного Катиного кошмара.

Надо было приготовить ему еды (сублимированных магазинных кормов он не признавал, поскольку был котом старой закалки), отнести на кухню и проследить, чтобы поел: зверь действительно был стар настолько, что порою забывал, в каком месте еда и для чего она. Катя возилась с ним по утрам сама, давая Максиму поваляться в постели ещё минут двадцать-тридцать. В этом было больше любви и нежности, чем кажется, ибо стремительный город не даёт нам передышек, заставляет бежать и бежать, независимо от того, есть у нас на это силы или нет. И когда женщина заслоняет любимого от подгоняющего ритма хоть и на полчаса — это ли не забота?

Планы на день был одновременно велики и просты. Максим едет на встречу с заказчиком, на обратном пути заскочит на свою квартиру (душ, переодеться, позвонить родителям), потом в ЗАГС. Катя ненадолго в офис (договорилась с коллегой, что та её во второй половине дня прикроет от клиентов и начальства), на маникюр (куда ж без него?), потом в ЗАГС.

Вещий кот

Дверь за Максимом захлопнулась. Катя поскакала в ванную докрашивать ресницы на левом глазу. Ну и немножко дорасчесаться. И, может быть, выщипать какой-то лишний волосок. И вот здесь ещё раз припудрить. И... Утробный вопль кота прервал превращение Кати в портрет инфанты Марии Терезы. Она выскочила из ванной и уставилась на питомца. Он явно был не в порядке. Ни песен петь, ни сказки говорить. На полу тут и там виднелись мутные неаппетитные пятна. «Кирдык котику», — подумала Катя без каких-либо чувств. И это были последние секунды, когда она была спокойна и как-то даже равнодушно-отстранённа. Потом началось.

Сперва зазвонил телефон: курьер с платьишком, заказанным третьего дня, решил-таки добраться до Кати и будет минут через пятнадцать. Тут котик взвыл ещё раз. Катя одной рукой натягивала джинсы, второй доставала переноску, третьей объясняла курьеру, как ему пройти от метро, а четвёртой набирала на городском телефоне номер такси.

Максим был готов лопнуть от досады. Новенький-кленовенький айфончик остался лежать на принтере в Катиной квартире. Он это обнаружил уже в вагоне метро — хотел посмотреть в календарь и полистать книжку. Пришлось возвращаться.

На проезде, ведущем во двор, Максима обогнало такси. Он увидел, как из подъезда выскочила Катя, схватила у какого-то подошедшего мужика пакет, букет, взяла с лавки большую сумку, юркнула в машину, мужик прыгнул следом. И такси унеслось.

Курьер был с пакетом и букетом — у них, понимаешь ли, акция. И хотел, чтобы ему объяснили про наземный транспорт, потому что на метро ему было неудобно возвращаться. И расписались на двух бумажках. Кате пришлось усадить его в такси, чтобы вывезти к остановке, и по пути подписать бумажки. Одновременно она рассказывала таксисту, как удобнее проехать к ветеринарке, чтобы не встать там и ещё вон там. Кот аккомпанировал короткими воплями. Надрывающегося в сумочке телефона Катя не слышала.

Спустя три часа и одну операцию заплаканной Кате вернули бесчувственного котика. Велели привозить послезавтра на перевязку и проверку катетера, выдали пачку лекарств, проинструктировали, какие лучше использовать шприцы, куда и зачем колоть, — и молитесь, чтобы он это вынес, очень уж пожилой котик.

На мобильном пять пропущенных звонков от Максима, дома записка от него же: «Не ожидал от тебя такого». На звонки не отвечает, к ЗАГСу не пришёл. Выговор на работе даже не огорчил.

До послезавтра ждать не пришлось — ночью у кота начались судороги. В круглосуточной больничке опять были уколы, капельницы, но коту надоело. К послезавтра от кота у Кати остались переноска, миска да лежачок. От Максима не осталось ничего: он не переезжал к Кате, считал, что это ни к чему, только ночевал время от времени. Вот, дескать, поженимся, продадим однушки, купим нормальную квартиру, тогда и заживём вместе — по-настоящему. На звонки по-прежнему не отвечал. Понять, в чём дело, Катя не могла, но за жизнь его не опасалась: судя по фэйсбуку, Максим был не только жив, но и пьян. И даже, кажется, не одинок.

В общем, спустя неделю Катя собрала котовские вещи в большую икеевскую сумку, придавила их большой вазой с самого верха книжного шкафа (всё равно она ей никогда не нравилась) и потащила это добро к мусорке. Возле контейнера стоял ясноглазый парень с молочным котёнком в руках.

— Девушка, миленькая, вам котёночек не нужен? Я спешу очень, мне в ЗАГС надо, заявление подавать, а куда я с ним через полгорода? Да и Ленка нас с ним из дома выгонит. У неё же такса.

— Давайте, — кивнула Катя. Сунула дрожащего хвостатого дурачка за пазуху, вынула из своей сумки вазу, протянула изумлённому парню. — Это подарок вашей Ленке.

И пошла домой.

МАРИЯ АМОР

Зарок

Прекрасное во всех отношениях лето погибло ради того, чтобы Настя обрела полезный жизненный опыт: когда мужчина начинает рассказывать о своей яхте, не следует упиваться романтическими подробностями, что у судна две мачты, паруса — аж три, а сделано оно шведскими мастерами, мебель в салоне красного дерева, и футов в лохани целых сорок два... Напротив, подобное хвастовство слушательницу должно насторожить, ибо красное дерево, паруса и палуба нуждаются в непрестанном и тщательном уходе.

Вопрос, призванный решить, переводить ли воздыхателя в категорию друга сердца, совсем не «правда, ты любишь меня больше, чем яхту?». Нет, нет и нет, эта планка непомерно высока, а женские непосредственность и неопытность милы, но глупость их полностью не заменяет. Единственное, что необходимо уточнить, — имеется ли на яхте обслуживающий персонал? Потому что если нет, то им неминуемо станет сама гостья.

Сезон навигации начался внедрением в сухопутное девичье сознание суровой флотской дисциплины и прибытием на Гибралтар, к месту зимовки лодки. Впрочем, куда именно, оказалось совершенно несущественным — нигде, кроме дока, начинающей юнге бывать не пришлось, и ничего, кроме ракушек, плотно облепивших днище судна, увидеть не удалось, ибо моллюсков надо было отодрать, а суденышко — перекрасить. «Вот, милая, скребок, — сказал любимый капитан, — а вот — кисть». Отвлекаться не рекомендовалось, яхтсмену не терпелось выйти в плавание.

По окончании каторжных работ счастливая пара оказалась наконец-то на воде. Ну, не в открытом море, понятное дело. Морские переходы — дело редкое, сложное и опасное. Тур Хейердал, конечно, их совершал, но рядовые плейбои предпочитают переползать вдоль берега от одной марины к другой. Потому что знают: как только берег останется вдалеке, море разыграется, в моторе непременно что-то испортится, а пассажирку начнет со страшной силой тошнить, хотя на борт ее взяли не для этого.

В своих глупых девичьих мечтах Настя романтично загорала на палубе в заливе, прыгала с борта в прохладную воду, наслаждалась бокалом красного вина под темным бархатом южной ночи... А в действительности яхта по большей части стояла у причала, и жить так оказалось хоть и экзотично, но приятно в той же мере, как на качающемся автомобильном паркинге. Зато когда стало известно, во сколько обходится стоянка, она смирилась с прижимистостью яхтсмена. Боливару не снести двоих.

Плавать под парусами Насте расхотелось после первой же попытки. Возможно, потому, что при смене галса ее треснуло по макушке, а почистить, высушить, сложить и зачехлить три гигантских, вздувающихся и упирающихся паруса, кроме Насти, было некому.

Редкие моменты идиллического дрейфа она посвещала зубрежке правил навигации по звездам. Это помогло ей удержаться от ехидных замечаний о том, как глупеет лицо мужчины, часами рассматривающего в морской бинокль топлесную часть проносящихся мимо серфисток.

Смирилась Настя и с особенностями круиза: со сложностями спуска воды в унитазе, куда ее надо было каждый раз предварительно накачивать, с тем, что мыться приходилось в море. А, прибыв в новый порт, пришвартовавшись и покончив со всеми формальностями, парочка путешественников шла не любоваться городом, о нет! Они разыскивали местный автобус и тряслись на нем до предыдущей стоянки, потому что у баловней судьбы имелась не только яхта, но и машина, и требовалось ее перегонять, дабы не лишиться ни капли комфорта.

Трудно давалась Насте только необходимость перепрыгивать с борта на далекую твердую землю. Однако яхтовладелец не одобрял сходни, шкрябающие палубный настил, а пришвартовываться впритык к набережной опасался: стеклопластик обшивки — дело нежное, может поцарапаться. Каждому морскому волку следовало решительно преодолеть страх высоты и падения в воду.

Однажды в яхту врезалась соседняя посудина. Капитан остался спасать корабль от погружения на морские глубины с помощью ругательств, а Настя была послана в полицейский участок. Жестами и теми словами, которые ей казались наиболее похожими на испанские, она доходчиво объяснила местному стражу порядка ситуацию: «Отра... э-э-э... каравелла... э-э-э... бум! ностра каравелла...»

По возвращении обнаружилось, что несообразительная посыльная умудрилась заполнить неправильную анкету, и получила нагоняй. Вот тут Настя и приняла роковое решение, которое гораздо безопаснее воплощать, находясь в полной независимости в собственном доме, — не позволять себя обижать и воспитывать.

Яхту долго чинили. Лето уже повернуло к осени, до возвращения в Москву осталось рукой подать, когда яхтсмен попрекнул Настю мотовством — ненужным приобретением швейцарского шоколада и неоправданно дорогого вина. Она вспомнила данное себе обещание и попросила, чтобы друг сердца отвез ее на берег.

Яхтсмен и отвез, ожидая слез и раскаяния. Так Настя, без забытого впопыхах телефона, с одной сумкой и малой толикой денег за пазухой, оказалась в ночном порту Пальма-де-Майорка, среди огней казино, морячков в отпуске, проституток и прочих добропорядочных граждан, взявших себе в привычку совершать моцион в такое время в таком месте.

Долгий, многоэтапный путь в Москву включил ночлежку с алжирскими нелегалами, сутки на полу терминала Пальма-де-Майорки и рассвет в Барселоне, запомнившийся гадким порочным парнишей, попытавшимся выхватить сумку. Затем Настю ждала ночь в общем зале студенческого хостела, перелет в Берлин, так как мест на Москву не оказалось, холодный вечер на вокзале, а под конец мытарств — сутки в поезде «Берлин—Москва».

Тут ей повезло: когда она, с новоприобретенной сноровкой бывалого путешественника, расположилась со всеми мыслимыми удобствами на жесткой скамье меж двумя посторонними мужчинами, ее потрясла за плечо попутчица и сообщила, что в ее купе пустует полка.

В дороге Настя не распускалась, не плакала и себя не жалела. Наоборот, поддерживала силу духа самокритикой и все время твердила: «Так мне, дурище, и надо! Буду знать, как доверяться плейбоям с яхтами! Больше ни-ко-гда! Никогда! Клянусь!»

Когда, едва живая, она наконец-то вползла в московскую квартиру, там отчаянно трезвонил телефон.

— Настя! — кричал яхтсмен на другом конце международного провода. — Ты с ума сошла, да? Я тут едва не рехнулся! Ты знаешь, как я испугался?! Я же тебя по всему острову искал! Черт-те что могло случиться! Разве можно так людей пугать?! Я завтра прилетаю и прямо к тебе с аэродрома...

Настя рыдала, шмыгала носом, рассказывала про свои мытарства. Ему пришлось утешать ее, правда, справедливо напоминая, что во всем виновато ее, Настино, бешеное упрямство. В конце разговора она еще раз всхлипнула и ответила:

— И я. Очень, да. Целую.

Повесила трубку, высморкалась, вытерла глаза и подумала, что утром надо успеть в парикмахерскую. И в магазин, купить чего-нибудь. Дом-то совсем пустой, а он с дороги голодный будет...

Платье для счастья

Опостылело Кате казаться административной служащей и заурядной матерью-одиночкой, когда на самом деле она сложна, непредсказуема и саморазрушительна, как Настасья Филипповна или Кармен.

Возможно, дотоле дремавший Катин нонконформизм пробудили Сашкины слова о его бывшей, которая, оказывается, «была не такая, как другие», — а еще уверял, что сам ее бросил! А может, ехидное замечание Маринки: «Вот Жанна никогда не выглядит секретаршей». В ответ на эти вызовы судьбы Катина сложная лунная сущность, ее истинное мятущееся Я расправило крылья и вознеслось над морем постылой, навязанной обстоятельствами ординарности. В запале она смела будничные свитера, банальные блузки и обыденные юбки-карандаши в дальний ящик и твердо решила принять за эталон гардероба эстрадный прикид Леди Гага.

Но нельзя забывать, что должность у Катрин представительная и ответственная. На работе ее ценят не за декламирование Хлебникова невпопад и не за интригующую неадекватность. Поостыв, она выудила из вороха забракованной униформы практически неношенного Кальвина Клайна. Да и ребенка, понятное дело, не стоит пугать своим сложным внутренним миром, он и так от рук отбился. И прокурору в мамином лице она не станет добровольно подкидывать аргументы для излюбленной обвинением версии о том, кто сама виновата во всех своих несчастьях.

И уж совершенно ни к чему метать бисер своей исключительности перед лучшей подругой Анюткой, та только взволнуется, добрая душа. Пусть лучше поможет сшить новое одеяние, соответствующее Катерининому истинному образу. Уже ясно, что одной цепочкой на щиколотке хрен отделаешься, для самовыражения требуется как минимум татуировка на санскрите на копчике.

А вот до Маринкиного сведения пора довести, что, между прочим, Катя давно пишет книгу. О чем — пересказать невозможно, Марин, ты все равно не поймешь, это такой опыт экзистенциализма, выраженный в метафизических образах... Пусть завистница подавится своим язвительным «ты это сама сшила, что ли?».

Вечером, с очередным скандалом уложив сына, Катя-Клеопарта ожидает Сашку. Жемчужные бусы на челе, босая, с шарфом а la Айседора Дункан, с тревожным блеском в очах, со слегка бессвязным, по-ахматовски туманным, порывистым, многозначительным надрывом в речах:

— Я больше так не могу... мне все, все надоело... Ах, оставь, оставь меня!

Устремив загадочный взор на свечу, некоторое время взвешивает, не продекламировать ли любимое, заранее освеженное в памяти — об особенно тонких руках, колени обнявших, — но как-то не удается вставить прочувствованные строки, поэтому Катерина только твердит, что нет, нет сил дальше жить, когда это постоянное, бесцельное, изматывающее умирание... И слезы катятся уже непроизвольно.

А сердечный друг сидит рядом, глазами хлопает, а потом говорит, изрядно обалдевший:

— Ну все вы одинаковы: как ПМС, как прямо хоть в бункере пережидай. Что это у тебя на лбу запуталось?

И бережно пестуемый образ Катрин-Прекрасной-Дамы неумолимо летит, летит степной кобылицей куда-то прямиком к убогости Бедной Лизы, и мнет ковыль последнего самоуважения... Но, по счастью, в этот момент Сашка притягивает упирающуюся Лилит, обнимает, целует и бормочет:

— Раз в месяц имеешь полное право! — И добавляет нежно: — Девочка моя!..

И Катя внезапно понимает, что экстримы в духе Леди Гага совершенно не нужны для счастья, что гораздо больше, чем быть не от мира сего, хочется быть лучше всех. Хотя бы один-единственный день. Причем приглашены будут толь⬤ амые близкие. И какая глупость, какая нелепая надуманность — этот жемчуг в волосах! Если честно, то даже фата во второй раз уже как-то необязательна.

Для полного счастья нужно только белое, элегантное, безупречное в своей простоте платье.

Заслуженное женское счастье

Трогательное предание о «любви с первого взгляда» может как ничто, украсить семейные легенды, но Лена знала, что в действительности каждая невеста — сама творец маршей Мендельсона и свадебных тортов своего счастья.

Прекрасная жительница Иерусалима Елена до последней возможности эксплуатировала нехитрый рецепт приятной жизни — быть красивой и свободной. Но к тридцати годам прелестный образ юной Наташи Ростовой начал трещать по всем швам, и настала пора полюбить какого-нибудь достойного избранника навеки.

Определив задачу, психолог Лена разработала тактику и стратегию создания счастливого семейного союза. Ради обнаружения подходящего кандидата было решено активно участвовать в культурной жизни столицы, появляться на всех тусовочных мероприятиях, вернисажах, перформансах, лекциях и дипломатических коктейлях. Разумеется, ей были известны и другие злачные места, но обретенные там знакомые охотнее платили за ночное такси, нежели брали замуж, так что имело смысл начать с чего-нибудь возвышенного, вроде вечеров поэзии. Вначале Лене не везло, вплоть до того, что пару раз подкатывались сами поэты. Однако, пребывая в поисках нормального человеческого существования, а не материала для трагических мемуаров, потенциальная невеста рифмоплетов решительно отшила. Лена знала, что романтиков стоит любить в ранней юности, а потом наступает пора перевязать розовой ленточкой вирши, оставшиеся от пылкого чувства, и сложить ихв шкатулочку.

Одетая во что-нибудь невинно-черное и провокативно маленькое, Лена предоставляла всем робким желающим удобный шанс познакомиться. Внимательно изучала каждую вывешенную на выставке картину, неторопливо листала на проходе программку. Терпеливо перечитывала в фойе объявления «Быстрое и безболезненное обрезание опытным раввином с многолетним стажем!», «Наши гаранты подпишутся под любую вашу ссуду!» и «Адвокатская контора Лифшица обеспечит стопроцентный выигрыш в лотерее "Грин-карты"». Спустя некоторое время охотнице улыбнулось счастье — она приметила свой идеал, и «все, что было справа, — стало слева, и все, что было слева, — стало справа», как описал классик Лев Николаевич Толстой столь же переломный момент собственной жизни.

Среди почитателей русскоязычной словестности, обряженных в потертые свитера и треники с лампасами, прекрасный незнакомец приятно выделялся костюмом Хьюго Босса и элегантной стрижкой. Разведка донесла Лене вид занятий — нейрофизиолог, — а также обнадеживающе холостое семейное положение избранного объекта.

Так эффективно, как умели только Арики Шароны и Моше Даяны, Лена пустила в битву заготовленные резервы. Друзья вывели на нее жертву и представили, верные сторонники закрыли пути отступления, оттерли многочисленных конкуренток и по секрету поведали счастливчику, как неслыханно повезло ему заинтересовать собой самую неприступную и красивую женщину столицы.

Некоторое время фанфан-тюльпан еще колебался между ней и какой-то пергидролевой блондинкой, но блондинку не украшали аура доступности и шляпка с вуалеткой. К тому же во время антракта, когда добычу могли отнять или она сама могла сделать рывок на свободу, Лена цепко прихватила нового знакомого под локоть и увела подальше. Туда, где никого не было, к столику с книгами поэта, и весь перерыв демонстрировала принцу свое тонкое понимание верлибра, а блондинке — что ей тут нечем поживиться.

Первое свидание состоялось в вифлеемской Базилике Рождества Христова под Рождество, и ненасытно целующаяся за колоннами парочка безнадежно испортила многочисленным паломникам весь хадж... В конце вечера Лена могла поклясться, что это был блицкриг.

Вскоре суженый переехал из своего холостяцкого убежища на уютную Ленину жилплощадь, однако в омут семейной жизни опрометью не бросался. Целый год девушка на затянувшемся выданье не могла вырвать внятного предложения руки и сердца. Более того, за этот год красавец перестал терпеливо внимать стихам Лениных знакомых, прекратил обегать машину и распахивать перед пассажиркой дверцу, то и дело даже забывал дарить цветы. Но не перестал ее смешить, не забывал радовать и не прекратил волновать. И однажды безнадежно усугубил ситуацию признанием в любви. Не приходится удивляться, что стряслось непредвиденное — охотница попалась в собственный капкан. Лена, до тех пор женщина разумная и осторожная, потеряла голову, забросила все грамотные приемы манипулирования чужим сознанием и, со своей стороны, отчаянно влюбилась.

Барышни, созданные для любви, как итальянский — для музыки! Учитесь на примере Лены, не ставьте одним махом на кон все состояние своей души! Играйте по мелочи, пока не определятся намерения противника. Придерживайте свои прекрасные порывы, чтобы они не пропали втуне. Задумайтесь: не потому ли он с вами, что это решает его жилищный вопрос? Заранее выясните: что будет, когда вы дойдете до моста жизненно важного решения? Собирается ли избранный попутчик перенести вас через него, всю в подвенечно-белом, или бросит на переправе? Взвешивайте почаще и поточнее, равноценна ли отдача понесенному вами расходу доброго имени и невинности. Ищите ценники на подарках.

Ибо на что может рассчитывать женщина, неосмотрительно заплутавшая в дебрях чувств, не оставившая спасительных следов-крошек и безнадежно потерявшая обратную тропинку к равнодушию? На то, что страшнее смерти ничему не бывать, что судьбу можно запугать собственной безрассудностью? Вместо того чтобы полагаться на собственную квартиру, машину и хорошую работу, неосмотрительная Лена сделала ставку на верность, нежность и любовь.

И еще на то, что всю неделю, пока ее машина пребудет в ремонте, бывший учитель вождения и друг-любовник, а ныне — просто добрый приятель Максим не поленится подвозить ее с работы и демонстративно провожать до самой двери.

На седьмой день, после особо затянувшегося прощания с Максимом, Лена наконец-то услышала от суженого долгожданный вопрос. И потеряла голову настолько, что ответила категорическим согласием с неприличной поспешностью.

Если женщина от большого ума полюбит так, что только смерть представляется спасительной сеткой под трапецией ее безумной страсти, тогда — запомните мое предостережение, неосторожные девы! —

в ее жизни неминуемо наступит день, когда ей еще придется сердиться на своего избранника. Хотя бы за то, что он злостно не ставит посуду в посудомойку, упорно швыряет рюкзак посреди прохода и много лет кряду разбрасывает грязные носки по всему дому.

ЕЛЕНА КАСЬЯН

Про орехи. И про Костика

Марина уехала к маме в деревню почти на всё лето. Свежий воздух, ягоды, парное молоко. Да и вообще, как-то легче вдали от города, от этой глупой истории с начальником, от сплетен, от бессонницы, от молчащего телефона. Мама ничего не спрашивала, хотя было понятно, что переживает. Такие открывались перспективы, такая удачная партия.

«Дура, дура! — думает Марина. — Как я могла так вляпаться?»

А здесь время текло неспешно и спокойно. Марина расслабилась, почувствовала себя уверенней, кожа покрылась загаром, волосы чуть выгорели. Она собирала их в тугой хвост и становилась похожа на старшеклассницу.

Новый сосед свешивался через забор и угощал сливами, улыбался, краснел, как мальчишка. Мама нахваливала его Марине, хотя что она могла о нём знать? Зовут Константином, не женат, строит дом, работает механиком в мастерской, ни с кем не гуляет.

Грецкие орехи срывали прямо с дерева. Скоблили зелёную подсохшую кожицу, загоняя под ногти мякоть. Снимали тонкую плёночку, обнажая белое тело ореха, стыдливое и упругое, как у девственницы. Сбор первых орехов — особая сладость.

Марина думала, что это даже лучше, чем собирать какую-нибудь клубнику, без проблем ложащуюся на язык, мягкую и текущую соком.

Приходил сосед. Ждал у калитки.

Рыжая Боба заливалась лаем. Гудели осы. Бормотал на своём соседский индюк.

Мама говорила: «Иди уж, иди! Свистит же, боже ты мой, иди!»

А руки не отмываются никаким мылом. Прячешь в карманы сарафана, и там, в карманах, продолжаешь оттирать пальцы.

Соседа хотелось называть Костиком, так он был молод и стеснителен, да и вёл себя, как школьник. А он и не возражал. Говорил, что его так бабушка величала. «Костик, в попе гвоздик». А сам всё время смеялся и краснел.

«Господи, зачем мне это надо? — думала Марина. — Детский сад какой-то...»

Про орехи. И про Костика

Он умел свистеть, жонглировать тремя предметами и доставать языком до кончика носа.

Костик думал, что влюблён в Марину. А она думала, что Костик дурак.

И если бы он не хвалил её непрестанно, не рассыпался в комплиментах, было бы вовсе скучно. Но ей было почти нормально, и они шли гулять к реке. И шли в тир, стрелять по бочонкам. И Марина два раза промахнулась, а три попала. А Костик вообще не попал ни разу.

А вечером он царапал ключом на лавочке — «Маша». И на поручне возле магазина — «Маша». И на задней стенке тира — «Маша».

Он доставал языком до носа и думал, что Марина в него влюблена. А она думала, какой же он дурак, господи боже мой! И зачем ей всё это надо?

А ещё он позвал её в кино однажды. И отгладил стрелки на выходных брюках.

И купил билеты. И, наверное, сладких петушков на палочке или стакан малины (почему-то ей казалось, что именно так всё и должно с ним происходить) ...

Но Марина об этом не узнала, потому что она не пошла. Она забыла.

Костик ждал-ждал, ел малину, наверное, ел петушков, билеты рвал на мелкие кусочки.

Потом стоял в темноте у калитки и свистел, свистел...

— Ну выйди уже! Свистит же, ну! — говорила мама.
— Меня нет! Скажи, что меня нет...

А потом Марине становилось скучно, и она окликала его через забор, как ни в чём не бывало.

И он радовался, этот Костик, и вёл её к реке, и покупал мороженое.

А потом как-то поехал в город и купил фотоаппарат. И сразу прибежал к Марине, и снимал её весь день, весь день, весь день. А она кривлялась, показывала ему язык, говорила, что он не умеет, что неправильно, что глупый...

И она к нему привыкала понемногу, к этому Костику.

И однажды даже подумала, что надо бы его поцеловать уже разок. Ну и вообще, как-то надо уже... И как маленькая, тренировалась у зеркала запрокидывать голову эффектно, чтобы волосы развевались. И думала, как красивее, если поднимать одну ножку (так «ах», как в кино) или не поднимать?

«Господи, что за глупость? Что я делаю? — спохватывалась она и отворачивалась от зеркала. — Взрослая женщина, а веду себя...»

А назавтра Марина накрасила ногти красным лаком и пошла к Костику в мастерскую.

Идёт-идёт себе мимо магазина — дети играют в догонялки.

Идёт-идёт мимо кинотеатра — мальчишки толпятся, ждут кого-то.

Про орехи. И про Костика

Идёт-идёт мимо тира — парочка на ступеньках целуется...

Парочка целуется... Костик с какой-то белобрысой... Не может быть!

Её Костик! С какой-то чужой белобрысой!

И она заворачивает за угол, прилипает спиной к стенке и не может дышать.

И слёзы катятся, и злость такая, и обида, и страх, и совсем не может дышать.

И она так минут тридцать стояла.

А потом ничего. Постояла и пошла себе домой.

Шла и думала: для того чтобы понять невозможное, оказывается, достаточно тридцати минут.

Пришла домой и говорит:

— Мам, а пойдём чистить орехи, а?

А мама отвечает:

— Да там уж и чистить-то нечего, боже ж мой! Мы же только вчера с тобой...

— А пойдём всё равно.

И вечером Марина смывает с рук ореховый жёлто-коричневый сок. Вместе с красным лаком смывает, вместе с тиром, с кино, с мороженым, с Костиком этим, с его вечным свистом, вместе с этим уходящим летом и со своим дурацким прошлым. И у неё понемногу светлеет на душе. И она плачет легко, как в детстве. И совсем не потому, что плохо, а потому что хорошо. Как хорошо-то, Господи, как хорошо...

Елена Касьян

А не пошли бы вы...

Два раза в неделю Семён Янович звонит бывшей жене и справляется о её самочувствии.

Разговоры их не очень разнообразны.

— Как твоё самочувствие, Раечка? — спрашивает Семён Янович.

— Хорошо, Сёма. У меня всё хорошо, — неизменно отвечает Раечка.

— Как на работе? Как вообще?

Под «вообще» Семён Янович подразумевает нового Раечкиного мужа Аркадия.

Учитывая, что этот брак длится третий год, муж не такой уж и новый. Хотя Семён Янович до сих пор считает развод каким-то недоразумением.

Аркадий на пару лет младше Раечки и ощутимо младше своего предшественника. Он также ощутимо успешнее, здоровее и, чего уж скрывать, темпераментнее.

А Раечка — женщина видная. Семён Янович долго её добивался в своё время. Его покойная мама всегда говорила: «Сёма, чем труднее женщину завоевать, тем дороже победа».

— У нас с Аркашей всё в порядке, Сёма, — говорит Раечка. — Спасибо, что позвонил. Береги себя, — добавляет Раечка и кладёт трубку.

— А не пошла бы ты, Раечка! — в сердцах говорит Семён Янович и идёт курить на балкон.

А не пошли бы вы...

С тех пор как у него разыгралась язва, он старается меньше курить и завтракает исключительно овсянкой.

— А что, у нас сегодня среда уже? — спрашивает Аркадий, выходя из ванной.

Он ловко перебрасывает полотенце с одного плеча на другое, хлопает Раечку по попе и садится к столу.

— Ну ты же слышал, — смущённо улыбается Раечка и ставит чайник.

Она не любит, когда Аркаша обращается с ней, как с секретаршей. Но так уж повелось с самого начала. Сразу не пресекла, теперь чего уж. Сразу даже нравилось.

— По Яновичу твоему можно календарь сверять, — говорит Аркадий с сарказмом. — Эх, мается мужик!

— Мается, — вздыхает Раечка. — Я тут подумала... Может, мы его в гости пригласим?

— Рая! Ну, ёлы-палы! — Аркадий встаёт из-за стола. — Да он и так звонит сюда чаще, чем твоя мама! Может, мы его вообще усыновим?

Раечка открывает кран и начинает тщательно отмывать сковородку.

— А что? Давай! Давай его усыновим! — не унимается Аркадий, размахивая полотенцем. — Ты будешь его жалеть, варить ему овсянку! Я буду покупать ему газеты, слушать истории про его болячки! Давай, чего!

Аркадий уходит в комнату, скрипит там дверцами шкафа, шуршит какими-то бумагами, звенит ключами. Выходит уже одетый.

— Я в офис, — говорит, поправляя галстук. — Буду поздно.

И уже из коридора наставительно:

— Рая! Не дури!

— А не пошёл бы ты, Аркаша! — говорит шёпотом Раечка и принимается за кастрюлю.

Аркадий выходит из машины рядом с торговым центром, подходит к девушке, разглядывающей витрину, и хлопает её по попе.

— Девушка, можно с вами познакомиться?

Девушка вздрагивает от неожиданности, оборачивается и секунду размышляет.

— Можно, — говорит она серьёзно. — Меня зовут Карина. А вас?

— Разрешите представиться — Аркадий!

Девушка ещё какое-то время хмурит лоб и старается не улыбаться. Но потом не выдерживает, смеётся и вешается ему на шею.

— Котик, что ты так долго? Нам ещё надо заехать в ателье!

— Хоть на край света! — Аркадий распахивает перед Кариной дверцу машины.

А не пошли бы вы...

— Ты помнишь, что сегодня я знакомлю тебя с родителями? Я уже сказала им, что мы собираемся подать заявление.

Аркадий сбрасывает скорость, паркуется у обочины, берёт Карину за руку.

— Солнышко, — говорит он печальным голосом. — Я раньше не хотел тебе говорить... Понимаешь... мы ещё не подали на развод.

Карина всё ещё улыбается, всё ещё не улавливает смысл сказанного.

— Как? Ты же говорил... ты же обещал, что...

— Солнышко, — перебивает её Аркадий. — Раисе только сделали операцию. Она всё ещё в реанимации. Я не могу её сейчас бросить. Это будет подло, ты же понимаешь?

— Но ты же обещал! — Карина начинает нервничать. — Подло как раз то, как ты со мной поступаешь!

— А я и не отказываюсь. Я обещаю, что как только она поправится...

Но Карина уже выскакивает из машины, хлопает дверцей.

— Я тебе не верю! — кричит она. — Два года одни обещания! Больше не звони мне! Никогда!

— А не пошла бы ты, Карина! — кричит Аркадий ей вслед и трогает с места.

Семён Янович лежит в постели и думает о том, что завтра суббота.

217

Он позвонит Раечке и скажет ей что-то приятное. Ему каждый раз этого хочется, а он каждый раз как дурак.

«Господи, — думает Семён Янович. — Ведь это же несправедливо. Почему одним достаётся всё, а у других отнимается последнее?»

— Ну вот смотри, Господи, — говорит вслух Семён Янович. — Если бы я её бил, или заставлял работать, или пил бы, к примеру... тогда понятно. Но я же всегда был обходителен! Я же помню свою маму! Мама всегда говорила: «Сёма, женщине нужно уважение и твёрдое мужское слово». А разве у меня нет слова, Господи?

Семён Янович какое-то время лежит молча, словно ожидая ответа, и продолжает:

— Ну, допустим, нет у меня твёрдого слова. Но ведь доброе слово есть всегда! А ведь доброе слово важнее, Господи?

— Ну вразуми ты эту женщину! — Семён Янович садится в постели. — Она не будет с этим Аркадием счастлива! Она сама пока не понимает. А я подожду, я настойчивый. Мама всегда говорила: «Сёма, вода камень точит».

— А я завтра позвоню, позвоню... Я скажу ей, что ты, Господи, свёл нас когда-то для счастья. А потом ты просто немного ошибся. Ну бывает... ну с кем не бывает. Я же на тебя не в обиде. — Семён Янович ложится лицом к стенке, поджимает колени и засыпает.

А не пошли бы вы...

— А не пошёл бы ты, Сёма! — слышит он сквозь сон.

Семён Янович улыбается и бежит по ромашковому полю, легко и радостно, словно только теперь, наконец, ясно понял свою верную дорогу, свой путь.

АЛИСА ХОДЗИЦКАЯ
Все эти платьица

Я любовница. Это означает, что мужчины целиком у меня нет, а есть примерно 0,17 мужчины. Цифра, конечно, меняется в зависимости от качества встреч и моего настроения, я все-таки не математик. Для порядочной женщины 0,17 мужчины — это критически маленькая возможность выгуливать свои платьица. Поэтому я бросила ходить по магазинам, чтобы не проявлять излишней назойливости в желании встреч. Есть масса способов справиться с эротическими желаниями, с женским желанием покрасоваться — ни одного.

И всё-таки платья продолжали поступать. Мне их покупали, дарили, они вдруг обнаруживались в чемоданах и на антресолях. Всплески появления не опробованных на нём платьев происходили в связи со сменой сезонов. И сейчас я даже не помню, откуда взялось

Оно. Белое, струящееся, элегантное, нужной длины, не вызывающее, но выгодно подчёркивающее попу, грудь и хрупкие плечи, слегка прозрачное, именно что слегка. Я только что провела с мужчиной две недели в природных условиях, и мне очень хотелось предстать в лучшем виде, чем флиска+мытая в речной воде голова, но претендовать на скорую встречу было более чем безрассудно. (С точки зрения юной женской логики, конечно, которая полна аксиоматических правил, когда звонить можно, а когда нельзя и каким тоном надо разговаривать.)

Я надевала его каждый день и подолгу стояла перед зеркалом, разглаживая складочку за складочкой. Носила его на встречи к подружкам и даже к маме, которая расплакалась от умиления, увидев меня. Покупала ему лучшие порошки и ухаживающие средства. Подбирала идеальные сережки, макияж и прическу. Даже сменила должность, лишь бы платье не заскучало. Но оно всё-таки скучало. Прозрачность требовала мужских глаз, тающая ткань — мужских рук.

Я придумала повод, даже не один, отправиться в его город и попросила ночёвки (официально я друг-любовница, но кого мы обманываем). Он же уехал из города и не знал, насколько поздно вернётся. Я сказала, что мне всё равно. Мне и правда было совершенно всё равно, платье уже свело меня с ума. И вот я надеваю платье, босоножки, которые натирают, но других подходящих нет, делаю причёску, которая норовит распасться, и еду в автобусе. Хожу по чужому городу, сижу в кафешках, встречаюсь с разными людьми, люди ахают. Застирываю платье в туалете. Почти не дышу, потому что оно легко мнётся. Попадаю под ливень. Причёска мокнет, макияж сползает, платье, белое полупрозрачное платье, становится совершенно прозрачным и вдобавок облегающим.

Но нет, я сумела всё это восстановить. Выстирала и высушила платье, высушила и вновь уложила волосы, даже ногти перекрасила, и в безукоризненной идеальности села уже поздно ночью в опоздавшее такси. Еду, волнуюсь, думаю, как бы побыстрее добраться, лишь бы он не злился, в двадцатый раз смотрюсь в маленькое зеркальце, подсвечивая себя телефоном. Дышу прерывисто, в подъезде ещё умудряюсь избавиться от белья (а платье всё-таки осталось слегка влажным). Звоню в дверь и уже чуть ли не трясусь от предвкушения. Платье чудом остаётся белым, хотя по настроению явно зарделось. Дверь открывается, и я вижу за ней сонного большого голого мальчика, который бубнит «привет» и плетётся назад в постель. Клянусь, в этот момент я услышала, как платье разочарованно ахнуло.

В следующий раз я приехала без макияжа, без укладки, в джинсах, балетках и мужской кофте, подаренной мне другим.

Все эти женщины

Я любовница. И могу сказать, что одна вполне реальная женщина в настоящем не идёт ни в какое сравнение с кучкой призраков прошлого. К Ней я как-то не особенно ревную. Однажды даже простояла с полчаса, смотря на их фотографию у него в стеллаже — дурацкие шапки, рукав её куртки смят под его рукой, потому что обнимает он её очень крепко, а улыбается очень счастливо, — собиралась что-то такое почувствовать, но так и не смогла. Я соблюдаю свой любовнический кодекс — не задаю неудобных вопросов, если не хочу о ней услышать, не претендую на выходные, не забываю у него своих вещей, не звоню и не пишу ночами, не пользуюсь её вещами. Даже если у меня волосы распределяются как у Кузи из мультика, а рядом и пенка, и лак, всё равно ни за что. И гель для душа уж лучше мужской. И молчу мышкой даже подружкам, у нас всё-таки общая компания...

А вот что касается остальных, то эти женщины изрядно подпортили мне нервы. Вы вот представляете себе, сколько их может случиться у любвеобильного мужчины за шестнадцать лет, что нас разделяют? А я представляю. Они наполняют мою голову, мою жизнь, квартиру. Сидят в красивых платьях, или обтягивающей спортивной одежде, которая на них почему-то прекрасно смотрится, или и вовсе голяком. Толпа голых женщин ежедневно передвигается по моей квартире.

Они бывают двух видов. Такие красивые (или просто с ярко выраженной деталькой, которая как раз под его вкус), что хочется немедленно порвать со всеми своими косметологами и парикмахерами — мол, мы не можем быть вместе, потому что я никогда не буду достаточно для вас хороша. Либо такие плоховолосые, располневшие, безвкусные и блеклые, что невольно содрогаешься при мысли, что и ты ему понравилась. Но главное, конечно, что всех этих женщин с их чудесами вроде борщей и шпагатов уже невозможно испарить или перебороть. И что они ему сделали «всё уже было».

Три дня мучаешься с эпиляцией, а он вместо восторженно отсоединяющейся от лица челюсти выдаёт тебе практичный взгляд на вещи с высоты своего жизненного опыта. И кучка обнаженных призраков с удовольствием этот опыт тебе демонстрируют. Конечно, можно отрастить волосы и покрасить их во все цвета радуги, в том числе на ногах, но цель ведь чтобы хотели, а не смеялись. А чулочками тут не обойдешься. Даже в сетку (закрываю глаза от ужаса). Однажды я составляла список всех мест в его квартире, где он ещё этого не делал (то ещё занятие, потом ходишь по ней как по минному полю). Но это не помогло, потому что мальчик большой, ленивый и неизменно тащит меня к дивану.

Я приезжала без белья. Пробовала общественные места. Раздевалась и не раздевалась. Связывала его и себя. Научилась писать такие фразы, за которые мне мечтают взять такси (а километров между нами больше ста, между прочим). Пошла на йогу, чтобы быть гибче. В тренажерный зал, чтобы стать сильнее и выносливее. Его фантазии — мой новый букварь. Но диван, этот старый скрипучий диван оказывается подо мной, как ни крути. А всё то новое, что я с таким трудом вношу в нашу сексуальную жизнь, врастает в неё и через некоторое время становится стандартной частью основной программы.

Но однажды всё-таки настал для меня день триумфа. Мужчина начал и, что самое главное, закончил в коридоре, толком меня и не раздев. До дивана, конечно, тоже дошло, но это уже было значительно позже и для истории значения не имеет. Я ликовала, одергивая платьице и приглаживая волосы. Он же надел халат и пошлёпал к компьютеру. Я подошла ластиться, а он стал показывать мне ярлычки игрушек и говорить, какая ему нравится, а какая нет. Поцеловала, погладила, всё безрезультатно. Пошла в кухню пить коньяк. А в сумочке у меня была припасена шоколадка, потому что эпиляция, макияж, прическа, мысли, как бы его соблазнить в коридоре, и прочие сборы не дали мне возможности поесть, и по пути я забоялась упасть в обморок и купила «киндер». Сижу я на кухонном столе, пью коньяк, попой понимаю, что хлеб резали прямо на столе, и только мысль «как можно резать хлеб без доски» отвлекает меня от признания своей сокрушительной беспомощности. Мужчина с видом победителя приближается вразвалочку к шоколадке, откусывает, и глаза его загораются каким-то странным блеском. Он чуть ли не подпрыгивает на месте. «Я никогда, никогда, ни разу в жизни не пробовал этот шоколад! Почему ты мне раньше не дала???»

Теперь у меня всегда припрятана в углу шкафчика коробочка с шоколадками. Я их не ем, конечно. Просто призраков отпугиваю.

Все эти мелочи

Я любовница. Нет, она ему не жена, даже не гражданская, просто девушка (хотя применительно к сорокалетним дяденькам это слово кажется мне смешным), но я ее знаю. Время от времени встречаюсь в общей компании, обнимаю, целую в щеку, улыбаюсь, смотрю в глаза... Я хорошо к ней отношусь, правда. И я не плохой человек, но как-то так происходит...

Отпечаток ладони на зеркале. Вспотевшей ладони на зеркале. Волосок, господи, я постоянно теряю волосы, какой-то же я пропущу когда-нибудь и не подберу, где он останется, в раковине, на подушке, полотенце, футболке, столе, где? Со светлым пятнышком (перышко из последнего окрашивания) или нет, какой длины будет светло-русый отросший участок? Где она его найдет? Как быстро соотнесет цветовые сочетания? У меня есть привычка ставить правильные даты в календарях, ничего не могу с собой поделать, и каждое утро у него, раз в неделю примерно, я высыпаю деревянные кубики из сувенирного календаря и ищу нужные цифры. Это единственное, чем я позволяю себе обозначить собственное присутствие. Сколько у меня времени, прежде чем она обратит на это внимание? Прежде чем соотнесет, что даты меняются в зависимости от ночей, которые они провели не вместе?

У нее такое расслабленное лицо. Жутко неухоженные волосы, отсутствие макияжа, какая-то едва уловимая располневшесть, старая кофта... и теплое свечение, расслабленная молочная нежность. Пока я вынуждена жестко дрессировать себя для этих отношений, контролировать каждую мысль, эмоцию и жест, пока я короткое платье, гольфины выше колена, макияж, укладка, улыбка другому, тактильные игры с попадающимися под руку мальчиками, она сидит буквально в метре с этой своей счастливой расслабленностью, которую я не могу перебороть ничем, у меня нет необходимых инструментов, которой я не могу достичь, которая мне не дана.

Я сижу у него на полу и невольно слушаю его с ней разговор по телефону, доносящийся из кухни. Я сижу с нетбуком, в наушниках, досматриваю интересный фильм, но слышу, все-таки слышу этот разговор. Она соревнуется с подружкой в похудении (почему меня это задевает? не дает мне покоя?), собирается покупать ноутбук, занимается чем-то вроде акробатики, и он простым, нежным, бытовым голосом расспрашивает ее об этих занятиях, о холоде на улице, о программах, нужных для работы... Я не то чтобы злюсь, печалюсь или ревную, я как-то оседаю под всем этим. И тут у меня звонит телефон. Он где-то глубоко в сумке, а у меня на коленях нетбук, я в проводах, все это путается, мешается, преграждает, я думаю: «Черт! черт! черт! она же услышит! она же знает мою мелодию! черт! черт! черт!» Мгновенно сбрасываю вызов и сижу в каком-то отупении, шоке.

Я же не виновата, что телефон зазвонил. Но я так ужасно испугалась. Чего я боялась, ведь это не совсем моя проблема? Ведь я как любовница должна подсознательно хотеть, чтобы она обо мне узнала и все как-то перевернулось, сместилось? А все, что я успела осознать, — чуть ли не панический страх. И в тот же момент захотела просто подняться с пола, тихонько собрать вещи, снять куртку с крючка и уйти, прикрыв за собой дверь.

Но не ушла, нет.

Может, она уже догадывается, может, и вовсе знает обо мне.

Может нет.

Все эти мелочи

Все эти мелочи, о которых никому нельзя рассказать, но так хочется описать, скапливаются во мне, а я не хочу молчать, как я молчала тогда, сбросив вызов. Я ведь хотела поговорить с тем, кто мне звонил, хотела. Но она бы услышала мой голос, гулкий от пустоты, которой наполнена его квартира.

ИРА ФОРД, НАТА НЕМЧИНОВА

Весеннее. После дождичка. В четверг

Весна. Пиво. Цоканье каблучков. Огонек сигареты. Настоящая весна. Пиво — за уличными столиками кафе. Музыка — из салонов авто.

— Девушка, который час?

— Ваш час — ещё не пробил.

Весна. Пронзительная, синяя, влажная, возбужденная весна, когда, кажется, слышно, как лопаются почки на деревьях и как кто-то прощается с девственностью под «Металлику» из раскрытого окна.

Была весна. Та, которая смелая, зрелая, та, которая много видела, та, что почти все пиво — выпила и в которой уже цвела черёмуха.

Одна Девушка ехала на работу. Он — тоже. Час пик. Пробки.

Весеннее. После дождичка. В четверг

Он сидел напротив. Глаза в глаза. Девушку (назовём её Катя) очаровали его штиблеты. Штиблеты были летние, кожаные, такие стильные штиблеты с открытыми задниками. Смешно и застенчиво топорщились пальцы, и было в этом что-то интимное. Катя сидела и разглядывала их. Хорошие штиблеты. И ноги — ухоженные. Потом Катя подняла глаза. И — не пропала. Ничего не ухнуло и не ёкнуло. И ничто не сказало про то, что Он — судьба. Или еще какую-то чушь. Даже дыхание не участилось.

Он был старше Кати — лет на пять. Обаятельный. Фактурный. Из тех, что позируют для «Космо». Такой метросексуал формата «маршрутки».

Он заметил Катин взгляд. И протянул визитку. На визитке был указан номер мобильного. Катя кивнула.

Через несколько минут — Кате показалось, это ужасно остроумно, — она ему позвонила. Полифония пропела что-то в духе: «Не обещайте деве юной». Катя отметила совпадение, но особого значения не придала: у неё же ничего не ёкало и не указывало на то, что нужны какие-то обещания.

Он посмотрел на высветившийся номер. «Я слушаю».

Катя улыбнулась: «Можешь поместить меня в записную книжку среди Катъ. Если Катя есть, запиши как Катрин. Или Кэт. Звонить желательно во время дождя».

Он — улыбнулся и деловито защелкал кнопками телефона.

Катя работала экскурсоводом. В пасмурные дни ей давали выходной. Незнакомец этого не знал, но ничего уточнять не стал.

В ближайший четверг, едва прогрохотали первые раскаты грома, он позвонил.

— Что делаешь вечером?

— Встречаюсь с тобой.

— ОК. Тогда не планируй больше ничего. Позвоню.

Он позвонил — часов в одиннадцать. Катя собиралась спать. Дождь лил весь день, и под стать дождю было настроение.

Пригласил в кафе.

Катя, не отрывая трубки от уха, стала натягивать джинсы.

Кафе оказалось хорошее. Почти ресторан. В огромных аквариумах плавали огромные рыбы, а официанты появлялись и исчезали, как призраки.

Они выпили по паре коктейлей. Он вдохнул дорожку кокса. Предложил Кате. Она отказалась.

На такси добрались до Катиного дома. Зашли в круглосуточный магазин. «У тебя что-нибудь есть из еды?» — спросил он.

Купил колбасу, кетчуп, яйца, презервативы.

Жарили колбасу с яйцами, поливали кетчупом. Времени было часа два ночи. Спать уже не хотелось. Тем

Весеннее. После дождичка. В четверг более завтра предполагался еще один выходной — дождь все не прекращался.

Катя узнала его теорию — он настаивал, что человек должен есть каждые два, максимум три часа. И что делать более длительные перерывы — опасно для здоровья.

За ночь он несколько раз выходил на кухню. Кипятил чайник. Звенел тарелками. Мыл посуду.

Спать они так и не легли. Устроились на диване в гостиной. Он рассказывал про друзей — они снимали на четверых двухкомнатную квартиру, — этакое мужское братство. Про детей — у него были сын и дочь от разных женщин, с которыми он никогда не был в тесных отношениях и которых честно предупреждал, что перспектив семейной жизни нет, но будущее отпрыскам он обеспечит. Вероятно, их это устроило. Большая часть того, что он зарабатывал, уходило на частный садик и школу. И прочие детские необходимости. Про работу — он был каким-то менеджером какого-то торгового центра. Про линии судьбы. Которые привели его в СИЗО «Крестов», а потом из «Крестов» освободили.

Он отсидел год. Говорил об этом спокойно-деловито. Как будто Катя проводила собеседование, а он рассказывал о предыдущем месте работы. «Этот год мне много дал. Я стал дисциплинированным. У меня каждый день был расписан до минуты. Я просыпался. Делал зарядку. Сам разработал комплекс упражнений — на все группы мышц. Места там было немного, поэтому упражнения получились не такие, как рекомендуют в «Men's health». Читать можно было почти все, что попрошу. Часто читал — стоя. Пока на моей шконке кто-то спал. Спали мы по очереди. Много думал. Потом, через год, суд вынес вердикт, что я не виновен. Я и не сомневался, знал, что освободят. И даже не нервничал, что теряю время. Старался использовать его с максимальной пользой».

Его дружок оказался огромных размеров. Кате стало как-то не по себе. Он надел презерватив.

— Тебе может быть больно. Я постараюсь аккуратно.

Больно не было. Улётно — тоже. Это было похоже на пресный, семейный, знакомый до миллиметра, предсказуемый секс. Приятный одним фактом наличия. Таким сексом можно заниматься в бигуди.

Утром они вышли из дома вместе — в десять. Сели в «маршрутку» и поехали на работу.

Светило солнце.

Катя выскочила на остановку раньше нужной, зашла в офис «Мегафона» и поменяла номер телефона. Не захотела быть той женщиной, которая родит ему третьего ребенка. Хотя он наверняка был бы не против.

После весны наступило лето. В Катиной постели и жизни упрямо утвердился нежгучий брюнет. Как-то во время дождя — у Кати был выходной — они зашли в «ЕССО» и купили ему точно такие же стильные штиблеты.

Долларов сто пятьдесят они стоили.

Шумахер

В тот летний день дождило. Одна Женщина спешила на встречу с редактором: льняные пиджак и юбка, полупрозрачная блузка, под ней — пуш-ап. Даже не так — полный пуш-ап. Сомнительное целомудрие — так бы она обозначила свой образ. У неё не было запасных вариантов: приближался срок оплаты квартиры, деньги нужны были срочно, редактор был мужчина.

В сумке лежали нетбук и скромное портфолио. То есть нескромное: пара выпусков журнала для мужчин. Она печатала в нём байки из жизни своего бывшего шефа: ей даже не требовалась фантазия для изобретения новых сюжетов.

Знакомство вышло кинематографичным, будто кто-то снимал сериал и имел необходимые договорённости. Боковым зрением Женщина заметила, как большая тёмная машина пересекла двойную сплошную и притормозила рядом. Время сгустилось, уличная толпа, наоборот, рассеялась-расступилась.

Водитель... он мог быть целевой аудиторией журнала, что лежал у Женщины в сумке. Молодой, ухоженный, успешный, с потрясающей улыбкой, безо всяких колец на пальцах и, судя по маневру, рисковый.

— Знаете, — в его голосе была приятная хрипотца, он явно волновался, — здесь нельзя останавливаться. Садитесь, поедем куда вам надо.

Чёртики в глазах. Пленительный запах успешного самца. Толпа безмолвствует. Ноль колец, наконец. Женщину не пришлось уговаривать. На ближайшем светофоре водитель развернулся — больше в этот день он не искушал дорожные службы. Навигатор проложил маршрут в сторону редакции.

Время от времени по стеклу начинал барабанить дождь, приёмник был настроен на частоте «Радио Эрмитаж» — передавали джазовый концерт. Водитель ни о чем не спрашивал, Женщина ничего не говорила.

— Увидел вас, — только и сказал он, — и не смог ехать дальше. Всё отменил, хочу сегодня быть с вами.

Пока они ждали редактора (тот задерживался, перенёс встречу на полчаса, потом еще на десять минут), перешли на «ты». Его звали Артур.

Собеседование прошло успешно. Редактор дал Женщине тестовое задание, срок исполнения — сутки.

Шумахер

Девушка не разглядела его квартиру. То ли некогда было, то ли неловко. Что разглядывать — обычное холостяцкое жилье. Ничего интересного.

Смотрели в окно — дождь не прекращался. Сидели в кресле, тесно прижавшись друг к другу, по телевизору показывали гонки «Формулы-1». Артур болел за Шумахера, Женщина, почти задохнувшись от его глаз, улыбки, невозмутимости — за Фернандо Алонсо.

Победил Шумахер.

Выключив телевизор, переместились в постель — получилось логично и естественно.

Он контролировал глубину погружения и частоту ударов. Ни страсти, ни нежности: вел себя так же, как за рулем, — спокойно, уверенно, чуть рисково, был обаятелен и обходителен. И явно доволен собой.

Женщина (оргазма не было даже на горизонте, но играть его не хотелось — не тот случай), не обращая внимания на метроном фрикций, сочиняла заголовки. Лучшим ей казался: «Шумахер победил, я проиграла». То, что происходило, было даже приятно — если рассматривать как новый опыт.

Когда Артур уснул, она включила нетбук. По горячим следам написала статью на четыре тысячи знаков (включая пробелы) о том, чем заняться летом в мегаполисе. И еще одну статью о безопасном сексе. Выслала редактору. Насладилась восходом — единственным, что ей довелось увидеть за лето. Незаметно выскользнула из квартиры. Позвонила редактору и договорилась о предоплате.

АЛЕКСЕЙ КАРТАШОВ
Эротическая комедия

Прекрасным июньским днем один молодой человек ехал на «уазике» в Москву из экспедиции, но не из дикой Сибири, а откуда-то с Оки. Настроение было великолепное. Впереди сиял неожиданный выходной, и даже повод был благородный: следовало отвезти в институт какие-то результаты, добытые у природы в нелегкой борьбе. Вскоре «уазик» домчался до места назначения (пробок в те годы не бывало), и через полчаса наш герой уже был свободен как ветер — до завтрашнего вечера.

Не спеша он шел по институтскому коридору, когда наткнулся на однокурсника, который уже сделал серьезную карьеру по профсоюзной линии. Этот парень занимался вопросами культуры, то есть имел доступ ко всяким полузапретным благам, вроде билетов в опальные театры, книжек зарубежных авторов и даже путевок в братские страны по обмену опытом. Впрочем, совсем уж свиньей он не стал.

Вот и в этот раз однокурсник выразил искреннюю радость, обнял нашего героя и похлопал по спине. От предложения выпить пива, впрочем, отказался с особенным выражением лица: дескать, ты понимаешь, что ты предлагаешь и кому? Зато вынул из кармана два билета на московский кинофестиваль, на французскую фильму, и повертел перед носом товарища.

— Не хочешь сходить? Эротическая комедия! — на этих словах он слегка понизил голос и даже бросил взгляд по сторонам, не слышит ли кто неподобающих слов. — Потом сочтемся, попрошу тебя сходить на декаду казахской прозы.

Подойдя к кинотеатру «Россия», где давали скандальный фильм, молодой человек хищным взором окинул толпу и остался вполне доволен: девушки были представлены во всей полноте московского разнообразия, и многие искали лишний билетик. Он сразу отмел красавиц, осознающих свою исключительность, — была охота связываться! Дурнушек и женщин солидного возраста, и тем более мужчин, он во внимание тоже не принял, а вместо того обратил внимание на девушку с удивительно свежим выражением лица, не лишенным чертовщинки. Глаза их встретились, и, видно, ему не удалось скрыть восхищения, потому что девушка немедленно подошла и спросила, скорее утвердительно:

Алексей Карташов

— У вас ведь есть лишний билет?

Герой смотрел завороженно, убеждаясь с каждой секундой, что незнакомка чудо как хороша: невысокая, стройная, кудрявая, с отчетливыми формами и тонкими щиколотками. Девушка из мечты, за которой пойдешь куда угодно. Очнувшись, он обнаружил, что идет ко входу, а красавица держит его доверчиво за руку. Но это неудивительно — толпа была плотная, иначе и потеряться немудрено.

Странно другое: они так и не разняли рук, оказавшись в сравнительном покое и прохладе кинотеатра. Потом, конечно, заметили эту неловкость, смутились и покраснели, но, сев на свои места (двенадцатый ряд, середина — в профкоме знали толк), опять сомкнули пальцы.

Фильм был нежен и в меру игрив — сейчас бы мы смотрели его спокойно, а в те годы чувства кинозрителей были еще не притуплены, и герой с обретенной подругой переживали всерьез. Возможно, поэтому, выйдя из зала в ласковый московский вечер, они как-то одновременно почувствовали, что расставаться не надо. И вот наш молодой человек, прокашлявшись, предложил зайти к нему на чашку кофе. Не забудем упомянуть, что перед этим он заскочил в телефонную будку и набрал свой домашний номер — убедиться, что квартира свободна. Его жена каждую пятницу уезжала на дачу, где усердно растила клубнику и опрыскивала смородину, чтобы ее не пожрали гусеницы. А глава семьи был этим радостям чужд. Выждав с бьющимся сердцем два десятка гудков, он повесил трубку и прошептал про себя: «Слава богу!»

Вообще-то ни к какой конфессии герой не принадлежал, но испытывал неудовлетворенное религиозное чувство и частенько так про себя говорил: «Спасибо тебе, Господи, что ты мне дал такую жену, такую работу и такое здоровье!» Последним словом он туманно обозначал многое, что в явном виде творцу не решался предъявить — например, неутомимость и завидные анатомические параметры. Впрочем, любили его не только за это.

Но не будем отвлекаться. Вскоре парочка уже ехала в забитом, несмотря на вечер, троллейбусе, и он придерживал спутницу за талию, вдыхал запах ее волос, ну, все как обычно. Девушка молчала и улыбалась волшебно. Потом, наконец, скрипучий лифт поднял их на шестой этаж — и только тогда все пошло как-то не так.

Ключ скользнул в замок как всегда — однако не поворачивался.

Лишь крайней степенью отупения (то ли от присутствия трепетного и желанного создания рядом, то ли от долгих недель полевой работы) можно объяснить недогадливость героя. Собственно, случай ясен: изнутри замок закрыт на дополнительную собачку. Какой можно сделать вывод?

Он же продолжал настойчиво вертеть ключом, скрежетать в замке, даже пару раз пихнул дверь плечом. Спутница его уже начала беспокоиться, когда изнутри раздались шаги.

Тут к герою вернулась, хоть и не полностью, сообразительность. Он подтолкнул девушку в плечо и шепнул: «Спустись на этаж ниже!» Дважды говорить не пришлось: все-таки женщинам страсть не так затуманивает голову. Она даже умудрилась сбежать вниз на цыпочках, не стуча каблучками, — легко ли это?

Почему герою не пришло в голову и самому спасаться бегством? Понять этого мы не можем, но я из мужской солидарности предполагаю, что он поступил благородно и инстинктивно: велел женщинам и детям спасаться бегством, а сам остался встречать неведомую опасность.

Жаль, что инстинкт оказался так силен, потому что дверь ему открыла его жена в халате на голое тело и с непонятным выражением лица — по крайней мере, молодой человек его не смог сразу интерпретировать.

— Ну, заходи, что ли, — сказала благоверная обреченно. Только когда она добавила: — Кой черт тебя принес? — наконец вспышка пронзила бедную голову героя.

Волшебным образом все перевернулось, и единственное, что его теперь беспокоило, — не успел ли он за эти несколько секунд выдать свою панику. Он спохватился и, переступая порог, скорчил мину суровую и скорбную. Вопрос он задал тоже удачный:

Эротическая комедия

— Ну, что скажешь?

— Пойдем-ка на кухню, — вздохнула жена, и герой послушно направился за ней и даже сел на табуретку возле стола.

Он долго слушал оправдания и обвинения, ввязался в бессмысленную перепалку и только минут через десять вдруг с ужасом вспомнил, что его мечта и путеводная звезда стоит этажом ниже и, наверное, ждет его. Тут его фантазия (а он был изрядный фантазер и врун, я забыл сказать) проснулась, и он, встав, сказал такие прочувствованные слова:

— Я все понял. Не хочу вам мешать. Прости — мне надо побыть одному! — И с этими словами рванул к двери и был таков.

Что ж тут дальше расскажешь. Никого он не нашел ни этажом ниже, ни двумя, ни вообще, ни в тот вечер, ни впоследствии. Жена же его бросила, обидевшись на что-то, чего он так и не смог понять. Это неудивительно, кстати: ведь она была женщиной, а он, естественно, мужчиной.

Однако он не пал духом и даже через год-другой стал снова смотреть эротические комедии, благо в стране всё переменилось и репертуар кинотеатров стал не в пример богаче.

Алексей Карташов

История о маловероятных событиях

Один молодой человек очень любил математическую статистику. И вообще он был всем хорош, только бабник.

Однажды он подружился с милой дамой. Дама училась в аспирантуре, а муж ее работал инженером. Так что она довольно часто сидела одна дома, работала над диссертацией. Что-то такое по истории. Обкладывалась книжками и писала свои изыскания. Надо сказать, что она была широко образованна и даже к математике не испытывала никакого отвращения. Собственно, они так и познакомились: научный руководитель дамы непременно желал, чтобы она хоть что-нибудь статистическое посчитала, вот она и нашла себе консультанта прямо в том же университете.

Дама оказалась очень восприимчивой и сообразительной, на ходу схватывала сложные понятия теории вероятностей, так что занятия обоим были в радость и затянулись на более долгий срок, чем они предполагали. А через некоторое время знакомство подошло к естественному пределу, когда пора узнать друг друга ближе. Герой напросился к даме в гости на чашку кофе, прямо с утра.

Пришел он весь чистый, благоухающий, выбритый и томный. Сварили кофе, потом долго целовались, потом он начал потихоньку тянуть свою любезную за руку в сторону спальни. Она, конечно, говорила «Нет», хотя через некоторое время должна была сказать «Ну, ладно», но вместо этого поправила прическу и сказала с укором:

— Ты что! Муж ведь может прийти!

Молодой человек забеспокоился:

— А что, у него есть такая привычка — приходить домой ни с того ни с сего среди бела дня?

Героиня отвечала рассудительно:

— Вообще-то, привычки такой нет.

— А часто это бывало?

— Ни разу пока за год.

— Ну, значит, это очень маловероятно, — ответил молодой человек и опять потянул ее в спальню.

Однако тут уже она заинтересовалась:

— Маловероятно — что?

— Что он придет.

— А как же ты можешь говорить о вероятности, если это событие ни разу не происходило?

Тут он тоже задумался и вдруг посветлел лицом:

— Я понял! Это же Байесовская задача.

— А что это значит? — спросила дама. Она вообще была довольно упертая особа.

— Ну, видишь ли... — Тут герой даже сел, налил себе еще кофе и машинально засучил рукава, как делал во время лекций. Тон его переменился, он оседлал своего конька: — Важна априорная вероятность!

— Мммм? — подняла бровь дама.

Герой вздохнул.

— Смотри. Вот событие, которого ни разу не было. Если тебя спросят: какова вероятность, что первого июля выпадет снег?

Дама подумала и уверенно отвечала:

— Мала!

— Правильно! — одобрил ее герой. — А какова вероятность, что первого июля небо свернется с углов и мы увидим четырех всадников на разноцветных конях?

— Очень мала? — предположила дама, уже менее уверенно.

— Умница, — одобрил ее герой. — Это априорная вероятность. А по формуле Байеса можно посчитать настоящую вероятность.

— Ну-ка, покажи, как, — потребовала его подруга.

Пришлось им взять пачку бумаги, и они стали выводить формулу — как вычислить вероятность события, которого ни разу не было. Молодой человек старался доказать, что она ничтожно мала, и даже пытался жульничать, а его возлюбленная старалась наоборот. Формула выводилась плохо. Они еще раз поставили чайник, он шумел, а они все спорили.

В этот момент открылась дверь в кухню, и вошел муж.

— Что это вы, — спросил он с недоумением, — тут делаете?

Они настолько были увлечены, что с искренним возмущением отвечали:

— Не видишь, что ли? Вот, задачу решаем!

Надо сказать, что муж этот был человек очень наивный, но с хорошим образованием. Он сразу понял, где у них был камень преткновения, и вдвоем с героем они легко разбили даму в пух и прах.

А домой он пришел потому, что в этот день у них была ежегодная профилактика оборудования.

С дамой наш герой потом встретился, и не раз, уже в более спокойном месте. А идею оформил в виде тезисов и съездил с ними на международную конференцию в Гейдельберг. Один классик теории вероятностей все допытывался: «Как вам пришла в голову такая прекрасная мысль?» — но он так и не признался.

О гадании

Давным-давно один молодой человек ехал в тряском автобусе в город Можайск. Его знобило, болело горло и мучило похмелье. Дело в том, что его по болезни отпустили с картошки, и великодушные друзья накануне устроили в честь избавления пир.

В кармане молодой человек лелеял тряк, на который он намеревался купить билет на электричку и, если повезет, пива в знаменитом ларьке, который в городе Можайске почему-то стоял прямо на платформе и всем проезжим был хорошо известен.

Жар и озноб снизили его наблюдательность, и он не заметил цыганку, которая, наоборот, на героя нашего обратила внимание.

Минут через пять она села рядом, даже не спросив разрешения. Цыганка сразу сказала, что никаких денег просить у него не будет, а исключительно из сострадания к молодости и хворости расскажет ему будущее просто так, то есть бесплатно. Идея эта молодому человеку показалась привлекательной, и он согласился выслушать неожиданную попутчицу.

— Есть у тебя две подруги, черненькая и беленькая, — начала цыганка, и герой крепко задумался. Цыганка зорко следила за его лицом. Увидев, что клюнуло, она уточнила: — Платить мне не надо, но нужно денежку положить на ладонь. Иначе гадание не получится. А как погадаю — сразу верну.

Молодой человек, успокоенный таким обещанием, достал из кармана трояк и положил цыганке на темную ладошку. Она сжала кулак и продолжала вдохновенно:

— Черная тебе зла хочет, а белая добра. И поедешь ты с ней, сердешный, на теплое море, смотри, не перепутай.

Она еще что-то говорила, но уже не такое интересное. Потом гадание окончилось, герой, от всей души поблагодарив гадалку, попросил обратно деньги. Цыганка послушно разжала кулак, однако ничего там не было.

Невозможно даже передать, как поражен был наш герой. Он сглотнул и спросил:

О гадании

— А где же трояк?

— Не беспокойся, — заверила цыганка. — Через три дня он к тебе вернется, прямо в кармане окажется.

— Позвольте, — возмутился молодой человек, — как это так? Верните деньги!

Но цыганка продолжала терпеливо растолковывать, что деньги отправились в астральное путешествие и извлечь их оттуда невозможно, а надо просто подождать. Дня три.

— Хорошо, — сдался наконец герой, — но как же я доеду до Москвы? Билет-то стоит рупь двадцать!

Цыганка, выразив сочувствие, предположила, что добрые люди помогут. Эта фраза навела героя на мысль.

— Одолжите мне хотя бы рубль! — попросил он. — Вы же не хотите, чтобы я, больной, без денег, остался в Можайске?

Цыганка была поражена таким оборотом событий и безропотно достала откуда-то из глубин юбки мятый рубль. Герой был очень признателен, потому что у нее голодал маленький ребенок и она собиралась на этот рубль купить хлеба и молока. Но цыганка сказала, что ребенок, так и быть, перебьется.

Все же оставалась проблема: где добыть недостающие двадцать копеек? Еще раз напомню, что молодой человек был в жару и плохо соображал. Поэтому он подошел к пивному ларьку, где стояла кучка хулиганов и отвратительно ругалась, сплевывая.

— Друзья, — обратился к ним молодой человек, — одолжите мне, пожалуйста, двадцать копеек.

Хулиганы повернулись к нему. Молчание затянулось. Наконец один из них, видимо, главный, спросил, не скрывая изумления:

— Это зачем?

— На билет не хватает, — сокрушенно ответил молодой человек, и хулиганы разразились хриплым хохотом.

— Ты что, билеты покупаешь, что ли? — отсмеявшись, спросил главный хулиган. — Ну ты, бля, даешь! — И они, отвернувшись, продолжили беседу.

Уж и не вспомнить, как молодой человек добрался до Москвы. В дороге он то засыпал, то просыпался в поту, и все ему мерещились контролеры. Наконец он открыл дверь квартиры и рухнул в постель, успев только выпить аспирина и полстакана водки из морозилки.

Но едва он сомкнул вежды, как загремел телефон — а он уж отвык от этого звука за три недели на картошке. Чертыхаясь и путаясь в одеяле, несчастный вскочил и подбежал к аппарату.

Звонила его одноклассница, нежная блондинка Маша, в которую он тайно влюбился перед выпуском, да так и не признался. Маша увидела его из окна, когда он из последних сил брел к дому, и обеспокоилась: здоров ли он, не нужна ли помощь. Тронутый, он даже несколько преувеличил тяжесть своего состояния, и Маша пообещала попозже зайти и позаботиться о нем.

О гадании

Герой, хоть и обрадовался, все же уснул, а вскоре его опять поднял звонок — на этот раз от его... ну, официальной подруги. Брюнетки. Она узнала случайно, что он заболел, и желала немедленно приехать и спасти любимого.

Молодой человек было согласился и тут вспомнил про Машу. С большим трудом он отбился от предложения, сославшись на маму, бабушку и еще что-то. Похоже, подруга ему не очень поверила, потому что распрощалась сухо.

Ну что тут дальше скажешь? Маша была самоотверженна в помощи, да и потом тоже. Как говорится, в здоровье и в болезни, в горе и в радости. Молодой человек на ней женился. Правда, потом развелся.

Но вот что удивительно: через много лет они все трое, включая брюнетку, случайно встретились у теплого моря, в городе Сан-Диего и очень друг другу обрадовались! Впрочем, до той поры много всего произошло. Даже трояк молодой человек однажды неожиданно обнаружил в кармане, и очень кстати, потому что ему, по обыкновению, срочно надо было опохмелиться.

АЛЕКСАНДРА ТАЙЦ

Вчерашние новости

— Я вчера смотрела «Си-Эн-Эн», — щебетала Сюзан, розовая после душа, — и представляешь, одна женщина...

— Да, дорогая, — энергично ответил Фрэнк и открыл «Нью-Йорк таймс».

— ...пришлось ей, болезной, работать в магазине кассиршей, вот тебе и Йель! — победно заключила Сюзан.

— Да что ты говоришь?! — сказал Фрэнк.— Надо же!

А через несколько минут вдруг донеслось:

— ...А вокруг нее летали слоны, ну все такое...

Он насторожился и прислушался.

— ...и представляешь, оказалось, если смешать этот лак для волос с пропанолом один к трем, то получится невиданной силы галлюциноген!

— А откуда это известно? — удивился Фрэнк.

— Фрэнк!

— Ах, да! Да, дорогая, удивительно интересно!

— Так вот, — продолжила Сюзан, — а еще в «Си-Эн-Эн» говорили, что одну женщину посадили в тюрьму. И она там потолстела на сто фунтов от сидячей жизни.

Фрэнк смерил взглядом объемистый зад супруги.

— Да, дорогая, — произнес он осторожно, — и что?

— А потом ее выпустили, и она за месяц похудела обратно! Потому что ела только цветную капусту и занималась сексом четыре раза в день! — Тут Сюзан хихикнула и многозначительно посмотрела на мужа.

— Вот ведь как бывает! — с чувством сказал Фрэнк, сложил газету, чмокнул жену в прохладный лоб и пошел на работу.

* * *

Девушка напротив была вся какая-то фиолетовая. Фиолетовые туфли, сиреневый игривый костюмчик, фиолетовые острые ногти. Остренький (не фиолетовый) носик, строго сжатые фиолетовые губки. Стервочка. Фрэнку такие нравились — немножко опасные, немножко дурочки. Обычно у них низкий голос и плавные жесты... Вдруг девушка улыбнулась и кивнула ему как знакомому.

— Хай, — вежливо сказал Фрэнк, — давно не виделись...

— А мы разве знакомы? — удивилась девушка.

— Просто мне показалось, будто вы меня знаете.

— А мне — что вы меня! — Девушка рассмеялась и глазами показала на свободное место рядом — садитесь, мол, поболтаем.

Тут Фрэнк понял, что действительно где-то виделся с фиолетовой феей. На какой-то вечеринке, что ли?

— Фрэнк, — он протянул руку. — И я уверен, что мы с вами знакомы. Вы кто по специальности?

— Лариса, — девушка крепко пожала протянутую руку, — теоретический физик. А вы?

— Вау. А я далеко не так крут. — Фрэнк посмотрел на фею другими глазами. Теоретический физик, ничего себе.

— Да ну. — Лариса поморщилась. — Фигня. Именно что теоретический. Работы по специальности нет, работаю черт-те кем. В Мэйсисе.

Фрэнк грустно покивал.

— Да вот я тоже, знаете... Заканчивал журналистику, столько планов было, и куда все делось?

— Надо же. — Девушка снова улыбнулась. — А у меня был знакомый журналист! Мы в тюрьме познакомились. Он у меня интервью брал.

— Как это? — удивился Фрэнк.

— Так получилось. Я в это время... Ой, моя остановка! — Фиолетовая Лариса подхватила сумку.

— Уже? — расстроился Фрэнк. — Но вы же не рассказали... А может...

Фея еще раз ослепительно улыбнулась и направилась к выходу — но вдруг обернулась.

— А знаете что? — сказала она. — Давайте на ланч как-нибудь сходим? — протянула Фрэнку визитку, улыбнулась и ловко выскользнула из набитого вагона — как нож сквозь масло.

* * *

— Я вчера смотрела «Си-Эн-Эн», — сказала Сюзан, — и там рассказывали, что у одной женщины из Греции было скверное зрение!

Фрэнк открыл «Нью-Йорк таймс» и намазал тост джемом.

— ...Она стала видеть даже прошлое и будущее! — услышал он через некоторое время. — Потому что именно в этой воде содержатся молекулы памяти, которые... И представляешь, в «Си-Эн-Эн» рассказывали... Одна женщина от самого Багдада шла пешком, потому что у нее была аллергия на кардамон, и поэтому... О, а в вечерних новостях... Одна женщина пала жертвой судебного произвола, так и написано! Интересно, чего она наделала... Объявили подписку... И у нее оказалось два миллиона долларов, прям вот в почтовом ящике!

— Милая, это необычайно интересно! — восхитился Фрэнк и перешел к спортивной хронике.

— ...И вот они прибегают на стоянку, а там огромные следы!.. И представляешь, на высоте двадцать тысяч футов! Но все обошлось, ребеночек здоровенький вышел! — радостно закончила Сюзанна.

— Слава богу! — обрадовался Фрэнк, сложил газету, поцеловал жену в лоб и пошел на работу.

* * *

— Надо было еще вчера позвонить, — ругал себя Фрэнк, разглядывая визитку фиолетовой Ларисы. — Сразу надо было! А теперь она поди и забыла, какой-такой Фрэнк, скажет... Но откуда ж я ее помню?

— Ой, Фрэнк, — раздался низкий фиолетовый голос в трубке. — Отлично! Конечно, пойдем! Вот прямо сейчас и пойдем, хотите? Рядом со мной есть чудное греческое место, готовят точно как моя мама, я его обожаю. Пойдем?

Сегодня Лариса была вся в нежно-зеленых полутонах, с ниткой зеленых круглых бус на белой шее.

— Красивые бусы! — похвалил Фрэнк.

— Да, очень. Жалко, что я их потеряю вечером, — непонятно ответила она. — Я их в Индии покупала...

Заказали ланч.

— На гарнир сегодня наша фирменная цветная капуста, — сообщила официантка. — В сухариках, очень вкусно!

— А можно что-нибудь другое? — попросила вдруг Лариса и, обернувшись к Фрэнку, добавила: — Я однажды в юности целый месяц ела только цветную капусту. Не могу больше!

— Вы начали про журналиста, — напомнил Фрэнк.

— А! Да! Ой, это ужасно смешная история. Дело в том, что у нас в колледже была идиотская традиция, мы каждую весну собирались большой толпой, одни девчонки, — и бегали по кампусу голые. А я забыла, что голая, и в таком виде прямо и пошла по улице. В магазин заявилась...

— Вы Йель, что ли, заканчивали? — догадался Фрэнк.

— Ну да! И меня, разумеется, забрали... А этот молодой человек меня спас, написал статью в газете...

— Я бы про вас не только статью, я б роман написал! — с чувством выпалил Фрэнк.

— Да ну вас, — смутилась Лариса.

— Ну тогда фильм снял бы! Вы очень красиво двигаетесь.

Тут Фрэнк расхрабрился и жестами показал — как именно. Довольно, впрочем, сдержанно.

— Ага! Можно снять, например, триллер! Ну или фильм ужасов, — кивнула Лариса важно, и оба рассмеялись.

С Ларисой было легко и приятно — можно было болтать обо всем на свете. Однако Фрэнка все время волновало, что он откуда-то знает эту милую даму. Но откуда?

— Лариса, а вы горы любите? — спросил он наугад. В колледже он немного занимался альпинизмом — может, там и встречались?

— Очень, — обрадовалась Лариса, — но я-то что! А вот Синди, это моя дочка, — пояснила она, — она прямо там, в Гималаях, и родилась! Она, представляете, еще совсем маленькой была — рисовала только горы! И маленьких таких человечков сверху. Это, мол, мама. Это папа... Папу-то она никогда не видела, только по телевизору... Но рисовала все равно!

— Как по телевизору?

— В передаче «Что мы знаем о снежном человеке», — саркастически фыркнула Лариса. — Папа у нас был тот еще тип... Да что мы все обо мне? Расскажите-ка про себя. Вы кем работаете?

* * *

— Я вчера смотрела «Си-Эн-Эн», — сказала Сюзан, наливая кофе. — Так вот, говорят, одна женщина...

— Да что ты, дорогая?! — удивился Фрэнк и развернул «Нью-Йорк таймс».

— ...Оказалось, что на самом деле... — долетал до него откуда-то издалика голос Сюзан, — ...щупальца!

...с Юпитера, но точно неизвестно... С пятьдесят шестого этажа...

Он кивал и невидящими глазами смотрел в газету. Сегодня за завтраком Фрэнк был особенно рассеян. Он обдумывал, как бы половчее сделать решительный шаг — пригласить Ларису на ужин с вином и закономерным исходом. Сколько можно ходить на ланч, в конце концов, неделю уже ходим!

Фрэнк тщательно подготовился. Еще на прошлой неделе объявил Сюзан, что у него важный обед с японскими коллегами, и, возможно, он затянется допоздна. «Ты же знаешь этих азиатов, — небрежно говорил он, — у них законы, черт возьми, гостеприимства! Наверняка придется тащиться к ним в отель на коньяк. Да они еще пить не умеют... Беда!»

Фрэнк сложил газету, особенно нежно поцеловал жену в пахнущий душистым мылом и огуречным кремом лоб и пошел на работу.

* * *

Лариса отнеслась к предложению удивительно безмятежно.

— Обожаю французскую кухню, — обрадовалась она, — вот прямо сегодня? Класс! Но я же не одета для ресторана, я успею переодеться?

Фрэнк, чувствуя растущие за спиной крылья и сладостное томление в паху, смело предложил закончить работу чуть раньше и вместе купить нужный наряд. И снова Лариса необычайно быстро согласилась — не ломалась, не смущалась, лишь деловито заметила, что сможет уйти в пять.

Платье нашлось около шести, в половине седьмого они уже ели устриц, а в четверть девятого, взявшись за руки, бежали по Пятой авеню, омываемые потоками первого весеннего ливня. Фрэнк ошалел от восторга и вседозволенности, перепрыгивал лужи и кричал что-то неразборчивое, Лариса придерживала подол непоправимо мокрого платья, смеялась и прижималась к нему мокрым шелковым боком.

— «Хилтон!» — показала она на стеклянно-золотые двери и сияющий вестибюль отеля за ними. — Пойдем? На самый-самый высокий этаж, правда?

Любезный портье проводил мокрую парочку до номера, подчеркнуто не обращая внимания на расплывающиеся под их ногами лужи. Взял чаевые и тихонько прикрыл за собой дверь. Верхний свет он предусмотрительно не зажег, оставив номер погруженным в интимный полумрак.

Фрэнк протянул обе руки к своей прекрасной даме, и она нежно улыбнулась в ответ. Потом робко придвинулась ближе и наконец обняла его за шею. Он положил руку Ларисе на грудь, заглянул в лицо — и обомлел.

Глаза феи светились в темноте ровным, темно-зеленым светом. Фрэнк моргнул, отгоняя морок, и в этот момент у него под ладонью что-то энергично задвигалось. Он отдернул пальцы.

Из декольте дамы к горлу Фрэнка тянулись светящиеся щупальца. Он рванулся к двери, но тут руки возлюбленной напряглись, словно два стальных каната, и сомкнулись на шее Фрэнка, а из широко улыбающегося рта плеснуло зеленой едко пахнущей жидкостью.

— Я вчера смотрела «Си-Эн-Эн», — взорвалась внезапно голова голосом Сюзан. — Говорят, одна женщина оказалась никакая не женщина, а гигантский спрут, и под кожей у нее — щупальца! И говорят, что с Юпитера, но точно неизвестно. Последнюю свою жертву она выбросила с пятьдесят шестого этажа...

КИРИЛЛ ГОТОВЦЕВ
Одна женщина

Одна женщина заставила себя отойти от зеркала, но даже это насилие над личностью не смогло испортить ей настроение. Прекрасный день только начинался, она была чудо как хороша, настроение было прекрасным, вечер обещал быть томным, в общем, один сплошной праздник. Жизнь у Тамары у-да-лась.

Впрочем, ничего другого и быть-то не могло, такая жизнь предначертана ей судьбой, с самого начала, с самого рождения. Конечно, ее родители могли бы быть поизящнее душой, потоньше воспитанием, да и происхождением они не блистали, но, по счастью, в этом не оказалось проблемы. Осознание, КОГО им выпало счастье принести домой из роддома, посетило их сразу. Во всяком случае, Тамара не помнила, чтобы когда-то эти скучные и местами даже ограниченные люди считали ее себе ровней. Никогда. Ни разу за все время.

Ни малейшего сомнения в том, что волею судьбы в их семье растет настоящая принцесса, из тех, чей удел повелевать и нести в мир чудо своего таланта, ни капли колебания не замечала Тамара у себя дома. Вне всякого сомнения, ее рождение стало для них настоящим чудом.

«Интересно, а все же, как они догадались? — раздумывала Принцесса еще вчера, расчесывая перед зеркалом волосы. — Неужели я была такой прекрасной и умной еще в младенчестве? По-моему, дети все такие одинаковые...»

Но сегодня ей было не до пустых раздумий. Ее ждал свет, она сегодня была снова готова блистать, скрашивая серые дни своего народа. Ее свита, должно быть, заждалась. Тамара бросила последний взгляд в зеркало и, широко улыбнувшись, покинула свои покои.

Во дворе светило солнце. Май уже почти заканчивался, поздняя весна постепенно уступала лету, разве что грязная куча, наваленная дворником за долгую зиму, сочилась последними остатками жижи. Тамара аккуратно обогнула разрытый еще с осени водопровод и пошла к остановке маршрутки, привычно не обращая внимания на замерший в восхищении народ, которому было даровано счастье жить с ней по соседству. Через минуту ожидания она грациозно села в подъехавшую машину и отбыла, величественно и твердо.

Чем Тома так приглянулась Герасиму, он и сам не очень знал. Довольно заурядная девица, приземистая, с тусклыми мышиными волосами, короткими пальцами и не сильно следящая за собой, она была совсем не той девушкой, какую он хотел видеть рядом. Ему всегда нравились высокие, даже крупные, лишь бы с осанкой, с властными глазами, такие королевы, перед которыми хотелось выглядеть лучше и спину держать ровнее. Не то что квашня Томка.

А главное, что бесило Геру, ну пусть внешностью не вышла и умом не блещет, пусть, что уж греха таить, звучное старинное имя было чуть ли не единственным выдающимся пунктом в его собственном резюме, но пусть бы она хоть характером удалась? Томина заносчивость еще в институте была притчей во языцех, даже обеспечила ей пропуск в тусовки, правда, в качестве бесплатного развлечения. Вне зависимости от того, раздавала она «свои милости» или, напротив, «гневалась», это было умопомрачительно комично, если, конечно, не воспринимать всерьез. Возможно, жалость к самовлюбленной дурнушке и толкнула к ней Герасима, может, протест против тех, кто его самого не слишком привечал и держал на дистанции.

В любом случае, после института Тома стала практически единственной, с кем он поддерживал контакт. Это было сродни мазохизму. Она дико, бешено, люто раздражала Герасима, но стоило ему неделю не встретиться с ней, он начинал скучать, злясь уже на самого себя.

Вот и сегодня ему предстояло веселье, отвязаться от которого не удавалось еще ни разу, хотя это было самое скучное развлечение из всех, которые он мог только себе вообразить. Он будет сопровождать Тамару на «светский раут». Так она называла дурацкие сборища, которые местный активист каких-то не менее дурацких тренингов то ли по этикету, то ли по пикапу устраивал с целью выловить очередные жертвы.

Организатор он был никакой, и мало кто приходил на эти мероприятия третий раз, кроме, разумеется, Тамары. Гера с удовольствием бы отказался от столь «привлекательного» мероприятия, но тогда Тома пошла бы туда одна и над ней бы там посмеялись. Один раз так уже было, и Герасим тогда еще пообещал себе, что больше никогда не даст ее в обиду. Странная и несносная, она была его другом, а за друзей он всегда стоял горой. Как жаль, что она настолько не в его вкусе.

Герасим опаздывал уже на две минуты, но это не могло испортить ее настроение, так же как и легкая усталость от насыщенного дня. Жалкий слизняк не имеет даже понятия, какое неуважение и невнимание он проявляет по отношению к ней, милостиво разрешившей ему сопровождать ее в общество, куда ему самому никогда не было хода. «Приятно, что всегда под рукой верный вассал, с которого начнется ее будущая свита, но бог мой, неужели ты не мог послать мне кого-нибудь с более чистым сердцем?» — думала Тамара, прогуливаясь в свете зажегшихся фонарей. Он, конечно, хорош собой, да и рассказчик блестящий, но ей всегда казалось, что рядом должен быть кто-то самоотверженный, добрый, с честными намерениями и невинной душой. Совсем другой, совсем... Так жаль...

Марвин отпил еще маленький глоток кисловатого вина, поморщился и, небрежно махнув пальцами, стер из воздуха изображение спешащего крепкого юноши с правильными тонкими чертами лица, благородная внешность которого контрастировала с нелепой курткой грязно-болотного оттенка. Его лицо, еще секунду назад искаженное гримасой брезгливости, теперь выражало заинтересованность.

— Мессир, и что же, вы придерживаетесь канонической формулы реализации? — обратился он к тучному джентльмену, развалившемуся в соседнем кресле. — Мне казалось, эта формула с поцелуем давно уже вышла из моды. Классика, конечно, но вы так все запутали.

— Мой дорогой Марвин, — толстяк прямо-таки излучал удовлетворение от того, как впечатлил давнего приятеля, — ну конечно, это классическая задача упаковки кармической пары в неустойчивую диссонирующую конструкцию. Здесь упражнение не для них, а для вас. Как вы думаете, кто из них в этой конструкции — Лягушка?

ТИМОФЕЙ ШЕВЯКОВ
Игра на чужом поле

Их спор был бесконечным, как ожидание официанта в «Шоколаднице». Они успели позабыть, с чего все началось, остались азарт и желание одержать верх. Улыбки и спокойный тон могли ввести в заблуждение разве что совершенно бесчувственного человека. Воздух над столом, казалось, гудел и искрился.

— ...Хорошо, давай поставим вопрос иначе — может ли человек сам, без чьей-либо помощи, уничтожить свои чувства к другому? Сознательно, подчеркну! — Девушка победно посмотрела на собеседника.

Тот усмехнулся.

— Ты заставляешь меня играть на своем поле. Хорошо. Только правила будут моими. И — посмотрим на результат.

Девушка закусила губу и чуть погодя, явно нехотя, кивнула.

Тимофей Шевяков

* * *

Мы были знакомы очень давно — еще со школы. Время и судьба кидали нас из стороны в сторону — мы встречались, расходились, возвращались, ругались и разбегались вновь. Единственное оставалось неизменным — мы любили друг друга, хоть признавать это порою было нелегко. В конце концов нам надоела эта бесконечная болтанка, и, сойдясь в очередной раз и всласть наорав друг на друга, мы наконец поженились. Трудно сказать, кому от этого стало более легко — то ли нам двоим, то ли нашим друзьям и знакомым, уставшим от наблюдения за бесконечной мелодрамой.

— Алексей, согласны ли вы...

— Светлана, согласны ли вы...

Согласны, согласны. Уже лет десять как согласны.

— Поздравляю вас... Теперь можете...

Можем, ох как можем.

* * *

Еще лет пятнадцать мы жили долго и счастливо, почти не ссорясь, практически не ругаясь. Наверное, со стороны мы казались идеальной парой — ну а что тут еще сказать? Любим друг друга, любим двух своих детей, в доме все идеально... Тошно-то как. И, собственно, нельзя сказать, что я разлюбил Светку, что надоело мне это все. Нет. По-другому. Есть такое старое слово — «обрыдло». Вот оно самое со мной и произошло. Вроде и замечательно все, а жить не хочется. А потом появилась она. Ну да, моложе Светки лет на десять, «бес в ребро» и все такое. Шустрая, язвительная, милая Анна.

Пытаюсь вспомнить сейчас, как мы встретились в первый раз, — и не могу, как в тумане все. То ли на какой-то выставке у нее упал буклет, а я поднял и подал. То ли у кого-то на дне рождения меня представили как «старого балагура», а она сказала, что со «старым» понятно, а насчет «балагура» посмотрим. То ли... Не помню, потом закрутилось так, что для меня все слилось в один бесконечно счастливый день. День, длившийся полгода.

— Лешка, родной мой, я ухожу. Совсем. Есть другой человек, которого я люблю... Которого я полюбила совсем недавно. Но я знаю, что хочу быть с ним вместе. Ты чудный, но... Прости.

Гудки в трубке. Она не дала мне сказать ни слова. Понятное дело, я, старый балагур, уговорил бы ее подождать, повременить, поговорить об этом при встрече. Конечно, это ничего бы не изменило, прекрасно это понимаю. Толку-то. Ей нужен тот, кто готов быть вместе с ней. А я не для того без малого десять лет добивался Светки, чтобы в одночасье все переменить. Да и сорок с лишним — не тот возраст, чтобы начинать личную жизнь с нуля. Опять же, Анька меня моложе, что будет лет через... Ох, вот же дрянь какая из меня полезла. Тьфу. Ладно, что случилось — то случилось, назад пленку не открутишь.

* * *

Светлана сидела в прихожей с совершенно потерянным видом. В гостиной писклявыми голосами бормотал телевизор — дети смотрели мультики и не слышали, как пришла мама. А ей впервые хотелось плюнуть на все и тихо уйти. Хоть на неделю убежать куда-нибудь, чтобы понять, что произошло. Ну или хотя бы попробовать выкинуть последние полгода из головы, забыть как кошмарный сон. Впрочем, почему кошмарный-то? Прекрасный был сон, все, как в дымке — встречи, цветы, прогулки, рестораны, поцелуи и далее, далее, далее.

— Свет, тебе плохо?

Она даже не услышала, как открылась дверь. Алексей стоял перед ней, немного театрально преклонив колено, и держал за руки.

— Све-е-т. Врача вызвать?

— Не надо, Леш. Я просто устала.

Она хотела сказать еще какую-то дежурную ложь про погоду, осень, дураков на работе, — но горло перехватило, и она заплакала — не так, как плачут взрослые — картинно или же истерично. Нет, она заплакала так, как плачут маленькие дети, впервые испугав-

270

шись чего-то — вздрагивая, подвывая и захлебываясь слезами.

— Лешка, я не могу так больше, это гадко, мне надо уйти... — И еще много, много слов болезненной скороговоркой — чтобы выплеснуть, избавиться, забыть.

Алексей крепко прижимал Светку к себе и безуспешно старался ничего не слышать, просто чтобы не сойти с ума, потому что...

***

Они встретились полгода назад, в самом начале весны. Это было маленькое кафе с только что открывшейся верандой на три столика. Март был удивительно теплым, снег стаял в считанные дни — и не было никакого желания сидеть в душном помещении. Но на улице — увы и ах — не нашлось свободного места.

— Садитесь, я уже ухожу! — Молодой человек вскочил и отодвинул стул. Чашка его была полна кофе, он беззастенчиво врал, но Светлане это было почему-то приятно. То ли потому, что с мужем они познакомились точно так же, то ли потому, что парень ей чем-то неуловимо напомнил Алексея в молодости, то ли оттого, что женщине за сорок приятно внимание мужчины, который ее существенно моложе.

Тимофей Шевяков

Его звали Антоном, он был мил, неназойлив и очень предупредителен. Представившись, он залпом допил кофе, поклонился и сказал, что не хочет мешать и вообще он уже уходил, но будет очень благодарен, если представится возможность когда-нибудь в будущем повидать... Будущее наступило через неделю. Антон явился с букетом формальных роз — но, узнав, что Светлана предпочитает лилии, букет изъял, отлучился на десять минут и вернулся с охапкой лилий.

Они могли разговаривать часами, гулять по городу, — и в один прекрасный день признались друг другу в любви. Света понимала, что это сумасшествие, но ничего не могла с собой поделать. Каждый раз, оставляя на улице букет лилий, она понимала, что бесконечно это продолжаться не может, что-то надо делать, пора прекращать, потому что дети и Алексей...

А потом: «Нам было хорошо вдвоем, но мы оба знаем, что ты не уйдешь из семьи». Это ее слова, ее роль, это он должен был плакать и падать на колени, умоляя остаться. Она сильная, состоявшаяся женщина, она может выйти из этой ситуации. Но почему же так больно?

* * *

...По-прежнему из гостиной доносилось мерное бормотание телевизора, время от времени заливисто хохотали дети, а двое заплаканных взрослых людей сидели в прихожей, обнявшись и уперевшись друг в друга лбами.

— Светка, ты ни в чем не виновата. Я не буду ни о чем говорить. Просто мне надо уйти. С детьми буду помогать... В школу водить, сидеть, если надо. Деньги опять же... Отпусти только, не могу я так.

— Ты... У тебя...

— Не говори ничего. Пожалуйста.

* * *

Любой человек хоть раз в жизни испытывает дурацкое желание ковырнуть свежую рану, просто чтобы проверить — точно ли она болит? Вот и меня понесло в нашу с Анной любимую кафешку. Я был уверен, что увижу ее там — и был вознагражден за догадливость. Они сидели за угловым столиком, никого не видя и ничего не слыша, молодые и счастливые. Теперь я увидел, как же Анька похожа на Светлану — если сбросить лет пятнадцать. А он до боли похож... У меня перехватило дыхание. Не может быть. Я вскочил из-за своего столика и, стараясь не переходить на бег, подошел к влюбленной парочке.

— Ань, привет! Я зашел чашечку кофе выпить, смотрю — ты. Рад видеть, чудесно выглядишь. Не представишь меня своему кавалеру?

273

— Привет, Лешка. Это Антон, мой будущий муж. Антон, это Алексей, мой... Хороший друг.

Я произнес пару необходимых шуток, откланялся и вышел. Состояние было препаршивое. Пасьянс сложился, только непонятно какой. Зато понятно, что в нем я не предусмотрен.

* * *

Их спор был бесконечен, как... Как любые бесконечные споры, пожалуй, когда уже нет ни проигравшего, ни победителя, а есть лишь невозможность остановиться.

— Я оказалась права, признай. Он сам, добровольно, своими руками все разрушил! — Девушка победно улыбнулась и застучала носком туфли по паркету.

— Который «он»? Давай уточним. «Он» отказался от одной любви в пользу другой, не зная, что это одна и та же любовь, причем поступил так в обоих случаях. Ну, так кто оказался прав? — Оппонент девушки пригладил начавшие седеть волосы и усмехнулся.

Та насупилась и перестала стучать.

— Ты сжульничал.

— Нет. Я же согласился на твое поле. При моих правилах. Жизнь все расставила по местам. Они снова молоды и счастливы.

— Жизнь — это маленькая красивая взбалмошная дрянь, которая радуется всему, что видит. «Ой, травка! Ах, цветочек! Ой, котик! Ах, человечек!»

— А ты?

— А я не взбалмошная, — сказала она и показала язык.

Мужчина улыбнулся.

— В моих силах было дать им посмотреть на самих себя — юных или взрослых, — но что-либо изменить я не волен. Судьба у нас ты, а не я.

— Хорошо, уговорил, ничья. Продолжим позже.

Хризантемы

Тебе восемнадцать. Мне двадцать четыре. Ты только что узнала, что поступила в институт, бежишь вприпрыжку и сияешь от радости. Я не мог не улыбнуться в ответ — а ты подлетела, повисла у меня на шее, засмеялась и поцеловала. Твои губы были сладкими от мороженого.

— Удачи! — сказал я и пошел дальше, а ты подмигнула мне и побежала по своим делам. Я даже не узнал твоего имени.

Тебе двадцать три. Мне двадцать девять. Полгода назад я случайно увидел тебя здесь, у дверей института. Ты почему-то плакала — а я не нашел в себе сил и смелости подойти и спросить. В самом деле, что бы я сказал тебе? «Вы поцеловали меня пять лет назад»? Глупо, смешно. Наверное, надо было. Я сижу на парапете с букетом хризантем и жду тебя. Может быть, ты любишь другие цветы, может, у тебя кто-то есть, может, ты просто не помнишь того парня, у которого повисла на шее в день своего поступления. Это неважно. Просто мне нужно тебя увидеть.

Тебе двадцать семь. Мне тридцать три. Сколько шуток было на тему возраста в день рождения — банальных, скучных, вымученных и неизбежных. Да и ощущения праздника не было — пока я не увидел тебя у барной стойки.

— Это судьба, — сказала ты и улыбнулась.

— Это судьба, — сказал я одновременно с тобой.

Помнишь, как мы гуляли по осенним бульварам, бегали и пинали кучи палых листьев, как ворчали на нас дворники и лаяли собаки? Помнишь, как мы прятались от дождя в подворотне? Горячий чай в кафе, разговоры, улыбки и молчание. Нам было хорошо молчать вдвоем.

Мне уже сорок. А тебе — тебе по-прежнему двадцать семь. Я бегу к тебе с охапкой хризантем, боясь опоздать. Ты улыбаешься мне, с благодарностью принимаешь цветы и слушаешь мою сбивчивую речь. Мне хорошо и спокойно, потому что ты всегда меня выслу-

Хризантемы

шиваешь до конца. Сейчас лето — и я невольно вспоминаю ту первую встречу, ту смешную милую девчонку, повисшую на моей шее. Улыбка не сходит с твоего лица — и я улыбаюсь в ответ. Как хорошо, что это было.

Мне скоро семьдесят пять. Очень жаль, что ты не стареешь. Я очень рад, что ты никогда не постареешь. Тебе двадцать семь. Я принес тебе хризантемы. Прости, но я, наверное, уже не смогу приходить к тебя так часто. Прости. Мне очень не хватает твоей улыбки.

ИРИНА ЛАЗАРЕВА
Ничья

Мы познакомились на первом курсе. Вы с ребятами из нашей группы сидели на подоконнике, пили пиво и переговаривались о том, кто вечером смотрел телик и кто все-таки вчера выиграл. Я проходила мимо, беседу про футбол радостно поддержала и попросила поделиться пивом. Вы, привыкшие, что наши девочки старательно изображают глянцевых красоток, а пиво и футбол считают ниже своего достоинства, были ошарашены. Ну что поделать — футбол всегда был папиной страстью, он и меня приучил. А пиво с детства люблю, так как-то сложилось. Ну, и понеслось.

К Татьяниному дню нас уже считали парой. Зима пролетела незаметно, мы то ездили куда-то всей компанией, то гуляли вдвоем, забредали к кому-то в гости, целовались и очень много разговаривали. С тобой так здорово было разговаривать, кажется, тебе было интересно все, и ты умел поддержать любую тему — легко, без занудства, но и без натужного высмеивания.

1:0

К весне что-то поменялось — мы стали реже ходить куда-то вместе, прекратили висеть на телефоне каждый день, потом ты отсел от меня на лекциях и начал прятаться в перерывах. Дальше делать вид, что ничего не понимаю и все еще может наладиться, мне не удавалось. Как сдала летнюю сессию, не понимаю до сих пор, потому что ты уже вовсю гулял с Ленкой из седьмой группы.

Все-таки сдала, родители уехали на дачу, а мы с лучшей подругой Светкой сидели у меня дома и пили пиво. Знакомы мы со школы, и пиво любим обе, но к футболу ее приохотить не удалось — она занималась теннисом, смотрела все возможные турниры и заявляла, что категорически не выносит командный спорт. Я плакала и рассказывала, какой ты гад, она меня утешала:

— Да пошел он к черту! Главное, не показывай, что тебе не все равно, а то еще хуже получится. Хочешь, чтобы он до кучи еще гордился, что ты убиваешься? Ну, выиграл он сейчас, пусть, сволочь, радуется. Придет время, ты еще отыграешься, мало не покажется. Ну ладно, ну, чего ты так... Хочешь, еще пива принесу?

Ирина Лазарева

Все вроде так просто, но тогда мне показалось откровением. Сейчас счет в твою пользу, гол засчитан, но игра еще не окончена. Надо собраться, и я обязательно отыграюсь.

Лето мы со Светиком провели прекрасно — на дачу, купаться, по магазинам. Летом было легче, все-таки мы с тобой не сталкивались, а к осени, когда опять пришлось встречаться каждый день, оказалось уже гораздо проще видеть тебя с Ленкой и небрежно говорить «привет». Счет я, конечно, не сравняла, но к борьбе была вполне готова.

1:1

Тем летом на пляже мы познакомились с парнями, и с одним из них Светик несколько раз встречалась, пока он окончательно ей не надоел. На второе, кажется, свидание Светка притащила с собой меня, а ее кавалер вызвонил какого-то своего приятеля. Так мы и познакомились с Лехой. Он был совсем не похож на тебя — плечистый, здоровый, со светлым «ежиком» на голове и круглым румяным лицом. Он не учился, где-то, по его словам, работал. Разговаривать особо не умел, но любил посмеяться, классно водил машину, ходить по ресторанам тоже любил и лихо платил там за всю компанию.

Рестораны были для нас со Светкой в диковинку, наши родители доходами похвастаться не могли, а тогда, к началу девяностых, с деньгами было совсем туго. Голодным студентам упустить возможность повеселиться на дармовщинку было просто грешно. А еще Леха, как оказалось, обожал футбол, и совсем скоро мама приходила в ужас, когда во время очередного матча перед экраном бесновались уже не два, а три «психованных болельщика».

Пиво к просмотру Леха приносил замечательное, неведомое иностранное, и папа долго с удовольствием обсуждал с ним, какое лучше и почему. Рыбу к пиву тоже приносил Леха, и тоже прекрасную — «братаны с Поволжья привозят». Ел Леха за двоих, и мама, которая готовить и кормить всегда почитала счастьем, расцветала и старательно лепила пельмени и варила борщи.

Сам Леха моих родителей сначала ужасно стеснялся — было очень забавно, когда такой немелкий парень жался по углам, втягивал голову в плечи и что-то невнятно бубнил в ответ на их вопросы. Когда же понял, что в доме ему рады, очень быстро освоился, за глаза родителей звал «батяня» и «мама», в глаза уважительно — по имени-отчеству. Любые родительские пожелания выполнял едва ли не до их возникновения, обязательно старался хотя бы раз в неделю проводить вечер у нас дома. К этому времени я уже знала, что семьи у Лехи нет — отец спился, мама умерла несколько лет назад.

Все к этому шло, и весной мы поженились.

Сколько человек гуляло на свадьбе, точно я не знаю до сих пор. Платил за все Леха, попытки родителей хоть как-то вмешаться урегулировал так, что все остались довольны. Праздновали мы в ресторане, кроме моих родных, была вся наша группа, Светка, еще пара моих подруг и куча Лешиных приятелей, чем-то на него похожих — таких же крепких, здоровых и коротко стриженных. Приятели были с подругами и без, но их было столько, что я запомнила не больше половины.

Веселились полночи с какими-то дурацкими конкурсами, песнями и плясками. Ближе к утру ты, уже хорошо пьяный, отловил меня в толпе, счастливую и запыхавшуюся от танцев, и пытался что-то сказать. Я никак не могла понять, что именно, и все просила повторить. Музыка ревела, язык у тебя порядком заплетался, но ты крепко ухватил меня за локоть и что-то упорно бубнил, пока рядом не вырос Леха. Тебе хватило одного его взгляда, чтобы раствориться среди гостей.

На угрюмое Лехино «о чем?» (понятно, кто-то из добреньких однокурсников проболтался) беззаботно ответила, что пьяный идиот пытался на моей свадьбе говорить со мной о футболе, и скорей потащила Леху танцевать. Правдой было только то, что в твоем несвязном бухтении промелькнуло слово «счет». Я даже собиралась отловить Светика и все рассказать, оценив ее мудрость и правоту, но опять завертелись танцы... Потом непонятно с чего началась драка, вроде что-то не поделили Лехины приятели, стало совсем не до того.

Мы уехали на неделю отдыхать, но позже кто-то мне говорил, что после моей свадьбы тебя видели с шикарным фиолетовым фингалом.

2:1

После свадьбы мы поселились в центре, в бабушкиной квартире, потому что Леха жил на съемной, достраивая дом за городом. Бабушка перебралась к родителям. Сделали хороший ремонт, по выходным навещали родителей или ездили вместе с ними на дачу. Я училась, Леха где-то работал, куда-то иногда ездил, но про дела говорить не любил, а я и не настаивала — мне самой было что рассказать, да и других тем хватало. С третьего курса я ушла в декрет, а потом совсем забрала документы — дом, сын и хозяйство отнимали все время.

Девчонки на курсе страшно мне завидовали, еще бы: платья, украшения, машина, теперь еще и дом. Опять же, семья — сын, муж, который задаривает и сдувает пылинки... Я, конечно, поддакивала и задирала нос — чтобы знали.

Изнанка была не такой радужной. Когда схлынуло первое упоение семейной жизнью «как у больших», я заскучала. Нет, все прекрасно — свой дом, Леха... Но круг общения сократился в разы — одной мне разрешалось ходить только в универ, и то меня обязательно встречал и провожал Леха или кто-то из его то ли приятелей, то ли подчиненных. Я могла купить практически все, что понравится, но по магазинам ходила только с Лехой. По ресторанам — тоже. Домой ко мне могли приходить родители и очень немногие подруги. В кафе встречалась только с ними же.

Я не обвиняла Леху, наоборот, гордилась — такая сильная любовь! А когда появился сын и я засела дома, стало совсем тоскливо.

Кипела студенческая жизнь, подруги рассказывали о вечеринках, о том, кто куда съездил, кто, где, когда и с кем, и что про это потом сказали. Кто-то пошел работать, кто-то организовал свою группу и пел в клубах, кто-то учил второй-третий язык, кто-то бегал по лесам с толкинистами. А я торчала в загородном доме с маленьким Степкой: проснулись-поорали-покормились-погуляли-поорали-покормились-поспали.

Леха мог прийти в ночи пьяным или остаться в городской квартире, мне же переезжать туда запретил — «ребенку полезен свежий воздух». Иногда навещали мама или Светик, но не часто, потому что без машины добираться до нас было долго и муторно.

Светик рассказала, что ты уехал на стажировку в Штаты. На год, если получится — на два. Все говорят, что тебе светит блестящая карьера. Я промолчала. Когда бьют по твоим воротам, надо хотя бы держать лицо, ведь неизвестно, удастся ли выиграть.

3:1

Понемногу все как-то устаканивалось. Степка рос, я подружилась с такими же мамашками из «нашей деревни» — по этому своеобразному коду отличали «своих», тех, кто жил в нашем поселке, состоявшем из домов, которые язык не поворачивался назвать коттеджами. Этих мамочек Леха разрешил приглашать в гости, и мы очень неплохо проводили время за трепом ни о чем, пока дети носились вокруг. Ездили отдыхать, прочесали всю Европу, а турецкие отели Степка, кажется, стал считать чем-то вроде дачи.

Когда Степка пошел в школу, все немного изменилось — он очень уставал от ежедневной дороги, и решено было хотя бы на первый год перебраться в город. К этому времени Леха купил хорошую квартиру в центре и сделал там ремонт.

У него теперь был офис, какие-то фирмы, но о работе он по-прежнему рассказывал мало и неохотно, а наводящие вопросы, не поработать ли мне в какой-нибудь из его фирм, просто игнорировал. Степка мог оставаться с няней, и мои родители иногда брали его к себе, так что вечерами мы с Лехой опять стали выбираться в рестораны или я встречалась с подругами. Девчонки с курса и Светка уже работали, так что днем пересекаться все равно не получалось.

Они-то мне и рассказали, что ты пробыл в Америке два года, вернулся, устроился в какую-то весьма приличную контору и уверенно карабкаешься по карьерной лестнице. И женился. На какой-то девочке, с которой познакомился в ночном клубе. Собственно, речь о тебе зашла, потому что наша группа скидывалась на подарок к рождению твоего сына. Я, конечно, денег дала, но поздравлять вместе со всеми не поехала — жаль, но как раз в это время мы с мужем будем в Париже, вот собрались на недельку, весна все-таки, надо отметить. Привет от меня передавайте!

4:1

Когда Степка заканчивал первый класс, Леху убили. Застрелили вечером во дворе нашего дома, когда он выходил из машины. Его и одного из двух его телохранителей. Следователь повел меня на опознание тела. После я сидела, как оглушенная, и ни на что не реагировала. Потом начала плакать. Светка попеременно наливала мне валерьянку, валокордин и коньяк, пока я не отключилась.

Похоронами занимались Лехины друзья, все делалось как-то само собой, помимо меня. Светка вернулась на работу. Степа жил у дедушки с бабушкой. Я сидела в пустой квартире и пыталась понять, что же дальше.

Долго думать о жизни мне, правда, не пришлось. Через пару дней после похорон ко мне пришли какие-то люди и оказалось, что ни к Лехиным фирмам, ни к дому, ни к квартире мы со Степой не имеем никакого отношения. Правда, городская квартира и две машины были зарегистрированы на меня, но мне объяснили, что всем будет гораздо проще, если я об этом обстоятельстве забуду. Я позвонила друзьям, которые организовывали Лехины похороны. Кто-то сказал, что не может мне ничем помочь, кто-то просто не стал разговаривать. Как ни странно, после этого я сразу смогла взять себя в руки. У меня был Степка, были мама с папой, а у них была я, и у меня было много дел.

Мы со Степкой переехали в бабушкину квартиру — как же хорошо, что мы ее не продали и поддерживали в приличном состоянии! Я пошла работать секретарем и восстановилась в университете, уже на вечернем. Зарплата была мизерной, денег катастрофически не хватало. Степа пару раз пытался скандалить, упирая на «а вот когда был папа...».

Я не выдерживала, орала на него, потом мы плакали вместе. Иногда нас подкармливали родители, хотя им самим приходилось туго. Светка и Мила отдавали мне ставшие ненужными тряпки, а я про себя жалела, что среди знакомых нет кого-нибудь с ребенком постарше Степы, чтобы и ему одежда доставалась даром. Осваивали секонд-хенды и сажали картошку на даче. Степка научился выносить мусор, разогревать себе еду и самостоятельно делать уроки, потому что я уходила спозаранку, возвращалась поздно вечером, а еще надо было готовить, убирать и готовиться к занятиям. К подругам в гости заглядывала, но на ежегодных встречах нашей группы старалась не появляться. Как-то жили. Страдать и скучать, во всяком случае, было некогда.

5:2

Со временем стало полегче. Я получила диплом, и сразу — повышение, потом еще одно, а через год меня переманили в другую контору на очень хорошие условия. Работала я допоздна, но хотя бы появились деньги, и выходные я могла посвятить Степке, повести его в кино или на аттракционы. Летом у меня даже получилось отправить Степу и родителей к морю, чему они страшно радовались, а я страшно гордилась.

Как-то осенью, в воскресенье, мы со Степой шли по парку, решая, чем бы заняться дальше. Степка упоенно вгрызся в любимое шоколадное мороженое, а я загляделась на него, и мы нос к носу столкнулись с тобой. Заметь я тебя раньше, наверное, попыталась бы удрать, но просто не успела. Твоя жена вела за руку мальчишку, а ты катил коляску.

Мы поздоровались, ты познакомил меня с женой, Степа и твой сын побежали бросать палки в пруд. Мы мило болтали: «сколько лет, сколько зим», «а сколько вашему?..», «да, мой тоже такой бандит...». Ты нежно обнимал жену за плечи и как бы невзначай упоминал, какие у вас квартира, машина, куда вы ездили отдыхать, как тебя ценят на работе... Квартира и машина меня не слишком интересовали, но вот это «мы» и выходные вместе, совместные планы и рука на плече — господи, как же мне этого не хватало! И дочка. Ты гордо посматривал на меня и говорил про «полный комплект», а у меня щемило сердце. Я очень люблю Степку, но, видит бог, как же мне хотелось дочку! Чтобы покупать все эти крохотные платьица, и глаза как у меня, и «ты моя помощница», и «а у меня есть старший брат, вот он вам покажет»... Но сначала второго не хотелось, потом вроде собирались, но откладывали. Зачем откладывали?! Хотя двоих я бы, наверное, и не вытянула...

Девочка в коляске зашевелилась и загулила. Твоя жена взяла ее на руки, покачала, назвала всеми ласкательными прозвищами, а потом — по имени. Я тоже сказала что-то милое и мамское... А тебя, наверное, вдруг страшно заинтересовали деревья на том берегу пруда, потому что ты пристально глядел в ту сторону.

У твоей дочери было мое имя.

На следующую встречу группы я пришла. Тебя там не было, но через некоторое время ты появился у меня в «аське», и мы стали переписываться.

5:3

Еще через год я перешла работать в одну из компаний холдинга, на благо которого ты трудился уже довольно давно. В параллельную структуру, но со схожими обязанностями — все-таки профессия у нас с тобой одинаковая. Корпоративная пьянка по случаю Нового года была одна на всех, и на двух этажах ресторана маялись чужие друг другу люди. Мы столкнулись случайно, я совсем потеряла своих, и ты пригласил меня танцевать, а потом познакомил с ребятами из своего отдела. Кого-то я немного знала заочно — переписывались и перезванивались по работе, так что вечер прошел приятно. Кажется, ты был не прочь проводить меня домой, но твой начальник оказался проворнее.

Геннадий был старше меня лет на шесть, ухожен, вальяжен и похож на ленивого сытого кота. Позже я узнала, что сравнение с котом более чем уместно — в деловой обстановке с Геннадия слетала вся ленца, глаз был зоркий и когти острые. Думаю, как начальник он был далеко не сахар.

Но для меня-то он начальником не был, так что никаких неудобств я не испытывала. Мы прекрасно проводили время, ходили на выставки, презентации и в театры, ездили в рестораны и за город. Гена умел красиво ухаживать, придумывать развлечения и был потрясающим любовником. Впервые за очень долгое время я почувствовала себя желанной и беззаботной. Ни ему, ни мне не надо было большего, чем нечастые встречи в уютной обстановке, это было так ценно, что совершенно не хотелось менять на какие-то там обязательства по отношению друг к другу. В моей жизни обязательств и без того хватало. В его, думаю, тоже.

Ты как-то отловил меня во время обеда и взволнованно говорил, что я буду несчастна, и так нельзя, и Геннадий меня бросит, и все это меня недостойно. Я с удовольствием ответила, что давно уже не вспоминала манеру разговора моей бабушки, и спасибо, что ты напомнил мне про покойницу — очень я ее любила. Ты надулся и надолго прекратил писать мне в «аську».

Расстались мы с Геной спокойно, без напряжения и выяснения отношений — просто встречи как-то незаметно прекратились. Теперь мы только иногда выходили во время рабочего дня попить кофе и поболтать в кафе по соседству, и это тоже было очень приятно.

5:4

Когда наш с Геной роман подошел к концу, меня внезапно перевели из «дочки» в головную структуру холдинга. Повлиял ли он на это каким-то образом, сказать не могу. По статусу я теперь оказалась почти равной Гене, он же получил источник неформальной информации в непосредственной близости к начальству.

Ты совсем прекратил со мной общаться, кроме как сугубо по рабочим моментам. Сплетничали, что на мою должность ты целился сам.

6:5

На новом месте я познакомилась с Валерой, и наш роман продлился несколько лет. Мы даже некоторое время жили вместе, и Степа отчаянно меня ревновал. Я работала, Степа учился, родителей я вполне могла поддержать, и жизнь казалась привлекательной, как никогда.

Вскоре после моего повышения ты ушел в компанию поменьше, на должность замдиректора по чему-то там. Якобы тебя пригласили знакомые, они же владельцы компании, чтобы через полгодика убрать генерального и поставить тебя на его место.

6:6

Через несколько лет я поднялась до должности советника при хозяине — известном владельце «заводов, газет, пароходов», вхожем к президенту; теперь таких называют «олигархами». Работать с ним тяжело, пахать приходится как негру на плантации, риски большие — но и платит он щедро. За Степку и родителей я теперь могу быть спокойна — пока я здесь, одеваться в секонд-хенде и сажать картошку им не придется.

Ты по-прежнему работаешь у знакомых. Повысили тебя или нет, «и если да — какою ценой, а если нет —

почему», я не узнавала. Некогда, честно говоря, дел слишком много.

6:7

Сейчас в городе жара, и если бы не кондиционер, я бы предпочла умереть, но не работать. Отец с мамой на даче, они там теперь живут круглый год, благо дом мы построили капитальный, а им очень нравится «на воздухе». Степка повез свою девушку в Хорватию: они сдали сессию и решили месяц провести на берегу моря. У меня там квартира, давно купила, все-таки цены на тамошнюю недвижимость с московскими несравнимы. Пусть развлекаются, я не стала возражать.

А меня ждет вечер с холодным пивом и очередным матчем чемпионата мира. Жить, как говорится, хорошо!

Не успела включить телевизор, как позвонила Милка — она у нас активистка, еще с первого курса. Всех организует, собирает, а мы, такие солидные и расслабленные, посмеиваемся над ее энтузиазмом. На самом деле она молодец, думаю, во многом благодаря ее усилиям мы до сих пор и держимся вместе — знаем, кто из группы женился-развелся, кто кого родил, кто где работает. И встречаемся тоже благодаря ей.

Она сказала, что ты умер. Деловито сообщила, когда и во сколько похороны, попросила денег — а дальше из трубки полилось такое, чего я никак не ожидала услышать.

Твоя бывшая жена отказалась тебя хоронить, но, к счастью, дала Милкин телефон твоему соседу.

Инсульт. Ты свалился в коридоре и лежал, пока сосед не зашел узнать, почему входная дверь нараспашку. Жена с тобой развелась и увезла детей, когда ты стал слишком много пить. Пьешь ты давно, просто раньше держал это в рамках. Поэтому тебя не продвигали по службе, поэтому ты остался только замом. Собственно, ты и на последней работе держался только потому, что владельцы тебя жалели, но потом ты спьяну то ли кому-то набил морду, то ли где-то не там упал, так что и их сочувствию пришел конец. После этого все покатилось очень быстро — новой работы ты не нашел, семья развалилась. Пил дома, потихоньку продавая то, что не забрала жена. Если бы протянул дольше, скорее всего, опустился бы окончательно — сосед рассказал Милке, что тебя видели с окрестными алкоголиками, и он уже переживал, что квартира скоро превратится в притон. Наверное, инсульт можно считать благословением божьим — и для тебя, и для соседа.

Я сказала, что дам столько, сколько надо.

Похороны и поминки организовала Милка, оплачивали мы с ребятами из группы. Твои жена и дети так и не появились — а мне очень хотелось еще раз увидеть твою дочку.

Ничья

Завтра — девять дней. Точнее, уже сегодня: после совещания я вышла из кабинета в полдвенадцатого, на то, чтобы закончить дела, собраться и доехать до дома, потребовалось явно больше получаса. Я сижу в своей весьма неплохой машине, около хорошего дома в престижном районе. У меня завидная работа, есть сын и родители. Я люблю их, а они любят меня. А ты лежишь там, где тебя оставили. Оставили мы, а твои родные даже не пришли тебя проводить. Потому что еще при жизни ты убил все хорошее, что было в тебе, около тебя и в воспоминаниях о тебе.

Я вспоминала все это, но еще одно очко к счету никак не прибавлялось. Все же повод настолько глобален, что неизвестно, сколько прибавлять — одно очко или сразу сотню. Или нисколько, ведь ты уже выбыл из борьбы.

И тут мне пришло в голову — а может быть, борьбы на самом деле не было? Нам незачем было подсчитывать очки, незачем радоваться чужим промахам и придавать этот гнилостный привкус своим удачам. Просто у каждого из нас была своя жизнь, мы случайно пересеклись в ее начале и пошли каждый своим путем. Судьи не было, борьбы не было, и нечего было считать.

Хотя нет, борьба все-таки была. И ты, и я знали, что она была; и ты, и я вели счет и не гнушались болевыми приемами. И радость приносила не столько своя удача, сколько чужой проигрыш.

Но если борьба была, значит, ее могло и не быть... Можно было не пытаться заработать лишние очки, не пытаться скрыть злость и обиду от проигрыша, не бояться проиграть, в конце концов. На старте мне не пришлось бы натужно придумывать сказку о семейном счастье, в финале тебе не пришлось бы прятаться в бутылку от того, как «удалась» твоя жизнь. Не вести счет. Можно было бы без борьбы. Раньше. А теперь уже нельзя. Потому что борьба была, и я выиграла — по очкам. И это так больно, ведь мир уже не предложишь.

0:0

НАТАЛЬЯ КИМ
Морс

Жила-была Одна Разведенная Женщина (ОЖ) не первой молодости с тремя детьми, которая зимним вечером отправилась на романтическое, как она полагала, свидание к нестарому сочному мужчине с бычьей шеей и ростом под два метра, с каковым училась когда-то в школе. Только он был ее помладше лет на пять (как и ее бывший второй муж) и звали его милым редким именем (как ее бывшего первого мужа). Прелюдией к поездке была двухмесячная волнующая переписка и телефонные разговоры, киндерсюрпризы младшим детям, навороченные наушники для старшей дочери, полутораметровые розы без шипов и тэдэ.

Надо сказать, что ОЖ после второго развода приходила в себя довольно долго и порядком подзапустила свои прелести весом в центнер, но тут уж начала готовиться дней за несколько, сдалась специально обученным тётенькам, которые, охая от жалости и впав в азартное вдохновение, приводили ее телеса в состояние, достойное применения.

Стоит ли поминать полупрозрачную блузку размером хахахаэль, приобретенную на половину заработанных честным редакторским фрилансом средств, изначально предназначенных на покупку новых лыж средней дочери и робота-трансформера сыну?..

В пургу, в метель стояла ОЖ у подъезда, подпрыгивая на обычно ненадеваемых каблуках (ноги отекают), и тщетно жала кнопку вызова. Через некоторое время из дома вышел дедушка прогуливать паучкоподобного пёсика, и пожилая многодетная скользнула внутрь.

Сердце у ОЖ колотилось, маникюр был черничным с серебром, что плохо смотрелось на красно-мороженых руках, но она жаждала любви и трезвонила в дверь. Одновременно зачирикал мобильник, откуда донесся расстроенный голос бычешеего: он страшно виноват, но у его девушки заболел ребенок, а ей надо экстренно ехать в командировку... Он обязательно приедет всех навестить перед Новым годом, как раз купил потрясающий диск с блюзами («Какие на хуй блюзы», — чуть не сказала вслух ОЖ, не успевшая даже сфокусироваться на девушке с ребенком, доселе не фигурировавшей в разговорах.)

Не отходя от квартиры, подпрыгивая от сквозняка, ОЖ давала советы бывалой матери, лечившей своих детей ото всего, что только можно придумать в течение их разновозрастных жизней.

Пока шла к метро — руководила действиями неопытного сошкольника по накладыванию масляного компресса. Спустившись в подземку, перешла на эсэмэски, в которых максимально доступно излагала все преимущества клюквенного морса перед вишневым киселем...

Потом кончились деньги на мобильнике, она зашла в кафе и выпила глинтвейна, думая о том, что нет в мире совершенства, разве только в плане наличия совершеннейших мудаков... Затем она пошла домой к детям, сразу сварила морс и с некоторым облегчением подумала, что у нее все хорошо, а как же иначе!

Трагикомедия обстоятельств

Жила-была Одна Простая Женщина (ОЖ), которая после школы нигде не училась, довольно рано вышла замуж и родила дочку. Муж трудился в автомастерской, ОЖ нянчилась и хозяйничала, планируя в скором будущем сдать малышку в ясельки и встать вновь за прилавок магазина «Досуг». Как-то раз ОЖ мыла полы и внезапно отключилась.

Очнувшись, она обнаружила себя в больничной палате, всю в проводах и датчиках, а под одеялом — совершенно недвусмысленный собственный живот. Когда врачи разрешили ей вести беседы, потрясенная ОЖ выяснила: по так и не установленным причинам она впала в кому, будучи беременной двумя-тремя неделями, о чём и не подозревала, собираясь делать влажную уборку.

Больше полугода пролежала она в отключке, а внутри нее рос новый человек. «Беременность пролетела на диво быстро», — любила пошутить она потом.

Родился крепкий мальчишка, их еще довольно долго мурыжили в клинике, желая удостовериться в жизнеспособности младенца, а заодно в адекватности и психическом здоровье ОЖ. В конце концов выпустили, и зажили все четверо плюс старенькая мама ОЖ в их небольшой двушке.

Вскоре в эту самую двушку явились какие-то люди, вызвали мужа ОЖ на улицу, он вымыл руки, сказал: «Я скоренько!», вышел и пропал. ОЖ подала заявление в милицию, у нее совершенно ехала крыша, она абсолютно не понимала, куда мог подеваться ее добрый миролюбивый муж-автомеханик, у которого отродясь не было ни врагов, ни собутыльников. Но время шло, никаких известий не поступало, а надо было жить, кормить детей, выбивать пособия по непонятно какой утере какого кормильца, возиться с мамой, перенесшей инсульт...

ОЖ изнемогала от забот и горестей, однако стойко тянула весь этот свой немалый груз. Дети росли дружными и спокойными, дочка пошла в первый класс, сын существовал на пятидневке, за мамой смотрела соседка, а ОЖ летала в Турцию за дублом и кожей, открывала палатки на рынках, нанимала для подпольного пошивочного цеха поденщиц и умела засыпать в припаркованной собственной машине на пятнадцать-двадцать минут, как Штирлиц.

Через семь лет она развелась с мужем как с пропавшим без вести и вышла за такого же челнока-воротилу, родила от него двойню, схоронила маму, продала квартиру и перебралась в Подмосковье на свежий воздух — близнецы много болели, а у ее старшего сына обнаружилась астматическая компонента.

Прошло десять лет.

Как-то раз в гостях у друзей речь зашла о том, как «на диво быстро пролетела беременность» ОЖ, и один из присутствовавших, партнер партнерыч по бизнесу кого-то из хозяев дома, человек пожилой, расхохотался:

— А я похожую историю слышал от своего шофера, тот еще сказал, что не смог бы жить спокойно, если бы с ним приключилась такое, все бы думал, не трахали ли какие-нибудь медбратья или студенты-медики его жену, пока она в коме была — ведь срок в ее состоянии тогдашнем посчитать было сложно.

ОЖ напряглась и спросила, сколько лет шоферу?

— Да пёс его знает, — сказал пожилой бизнесмен. — Щас я его позову, спросим.

И позвонил по сотовому, вызвал своего водителя СанСаныча.

Наталья Ким

ОЖ, узнала имя, вышла в другую комнату и, стоя за дверью, слушала давно забытый глуховатый басок, который слово в слово повторял всё то, что она столько раз рассказывала со смехом своим друзьям и знакомым, близким и неблизким, словно защищаясь от чего-то этой легкостью и веселостью фразы «беременность пролетела на диво быстро...»

Пропавший без вести и одновременно живой и здоровый отец старших детей ОЖ, возвращаясь в машину, ломал голову, зачем его вызывали веселить публику и спрашивали про возраст?

Когда они вернулись домой, ОЖ достала из коробки из-под горнолыжных ботинок пачку бумаги — это были копии запросов в милицию и прокуратуру. Муж ОЖ взял у нее из дрожащих рук эту пачку, устроил в камине небольшой пожар и налил жене водки. Они молча выпили и пошли спать, а с тем седым бизнесменом у них не так уж было много общих интересов, чтобы продолжать знакомство. И засыпали они, уверенные, что все уже на самом деле хорошо, а как же иначе...

Семейная реликвия

Жила-была Одна Симпатичная Женщина (ОЖ), и всё у нее было хорошо. Единственное, что немножко тревожило, — это отсутствие личной жизни «с продолжением»: свидание — раз, ночь вдвоем — два, и всё — субъект испарялся.

ОЖ пребывала в недоумении, потому что ничем-то ее судьба не обделила — ни внешностью, ни обаянием, ни квартирой, ни кулинарными талантами, ну была она несколько прямолинейна в оценках, но на фоне основных ттх это же сущие пустяки.

Однако все едва начавшиеся романы заканчивались словно под копирку — кино, кофе с коньяком, постель, «я позвоню» и — тишина. ОЖ грустила и спрашивала подруг, что с ней не так. Те мялись и блеяли, с радостью переводя разговор на будущее — «просто не нашелся еще Тот Человек, который тебя оценит!»

ОЖ такие ответы не устраивали, да и вообще к подругам она относилась со снисходительностью. И решила она пойти по беспроигрышному пути — искать любви в Интернете. Скрупулезно заполнила длинную анкету, тщательно указала свои увлечения (любимый фильм — «Поющие в терновнике», любимый цвет — «бэж», любимый певец — Стас Михайлов и т. д.) и вывесила свои фотографии — в бикини на фоне пальмы, за рабочим столом и на новогодней вечеринке в костюме феечки Винкс.

В графе «Я ищу» она написала: «чистоплотного душой и телом мужа, который оценит мои внутренние качества». Отправила и стала ждать. Прошло две недели, она даже рискнула и опубликовала свой номер телефона, однако телефон сдержанно молчал. ОЖ совсем уже было приуныла, как вдруг субботним вечером раздался звонок.

Приятный мужской голос сообщил, что прочел ее анкету и хотел бы встретиться с такой интересной девушкой. ОЖ обрадовалась, договорилась о времени и месте (22.00, кинотеатр «5 звезд» на Павелецкой), записалась на маникюр-педикюр, сеанс массажа лица, пилинг и купила новые чулки модного цвета «нежный лосось».

Свидание прошло прекрасно, обладатель приятного голоса был галантен и мило шутил, когда же кинокомедия была посмотрена и мороженое съедено, то как-то само собой опять получилось, что были и кофе с коньяком, и танцы под Стаса Михайлова, и новенькие еще нестираные икейские простыни в звездочку на икейском же добротном диване...

Когда следующим ранним утром ОЖ подавала субъекту кофе (уже без коньяка), он прикидывал, получится ли развести барышню еще на один сексуальный сеанс, но тут ОЖ, выложив на тарелочку свежеиспеченные вафли, сообщила, что у нее есть для него сюрприз.

Серьезный мужчина не любил сюрпризов, особенно от малознакомых женщин, и засобирался, в то время как ОЖ, мягко улыбаясь, вынесла небольшую коробочку и вынула из нее старое обручальное кольцо красного золота, с полустершейся надписью на внутренней стороне.

— Это наше, фамильное, принадлежало моему прадеду, примерь...

Кольцо оказалось великовато.

— Ну ничего, у меня есть знакомый ювелир, он сможет его уменьшить, — размышляла ОЖ вслух.

Тем временем достойный мужчина спешно обувался в коридоре.

— Я тебе позвоню! — крикнул он, сбегая по ступенькам, выбросив окончательно из головы этот эпизод на третьем этаже из восьми.

ОЖ задумчиво допивала кофе за приятным мужчиной и размышляла. Странно, быть может, им всем не нравится, что кольцо такое старое? Все так неадекватно реагируют... Но ведь сейчас это так модно, это же тренд, это же винтаж, семейная реликвия...

Так думала ОЖ час, и другой, и еще несколько дней. И вновь зазвонил телефон — и очередной приятный мужской голос признался, что ему очень понравились фотографии на сайте, и он был бы рад встретиться безотлагательно.

ОЖ удовлетворенно вздохнула, конечно же согласилась, купила чулки цвета чайной розы, свежую банку кофе и муку для вафель... И надо полагать, что в общем и целом у нее всё и дальше будет хорошо, а как же иначе?

Наталья Ким

Тёща на блины

Жила-была Одна Решительная Молодая Женщина (ОЖ), которая теплым весенним вечером на Масленой неделе ехала в город Химки для судьбоносного разговора с давним и регулярным любовником. Он должен был, по ее разумению, «прямщас» развестись и жениться на ней.

Собственно, она ехала для разговора не столько с ним, сколько с его тупицей-женой: в конце концов, думала ОЖ, нельзя же быть такой эгоцентричкой, ведь если не можешь удержать мужика от выгула на стороне, значит, нечем, сейчас мы это быстренько все решим, и ситуация наконец сдвинется с мертвой точки.

ОЖ выбрала именно этот вечер, потому что накануне ее давний и регулярный предупредил: пыпочка моя, не смогу завтра, принимаем дома тещу, сама понимаешь, надо эйн-цвей-дрей, яволь мамахен — все построились. «Вот заодно и тещу поглядим, — размышляла весело ОЖ. — Небось такая же корова волоокая, как дочка».

Легко найдя дом (пару раз он привозил ее к себе, пока официальная жена проводила время на садовом участке кверху попой в огороде), ОЖ дождалась, когда к подъезду направилась пожилая хорошо одетая дама, намереваясь пристроиться за ней.

И уже почти вошла, как вдруг почувствовала, что у нее «кишки опустились» (так образно определял состо-

яние ужаса ее бывший сокурсник, будущий врач-гаст-
роэнтеролог).

На руке дамы, нажимавшей кнопки домофона, она
увидела едва заметный след от выведенной татуировки
вроде солнышка и буквы «М». Такая татуировка в со-
четании с цифрами на домофоне и старинным перстнем
с мертвым опалом на заскорузлом пальце означали
только одно: тещей регулярного оказалась непосредст-
венная начальница ОЖ, любимая, уважаемая Марина
Александровна, зав. отделением гнойной хирургии, в
каковом ОЖ не первый год трудилась медсестрой.

И отступать уже было некуда — добрейшая М.А.
уже обнаружила за своей спиной ОЖ, которая так ловко ставит капельницы и летает между реанимацией и
отделением как ласточка.

— Кирочка, какая неожиданная радость встретить
вас здесь, вы же, кажется, живете в Бирюлеве? А я вот
иду к своим, теща идет на блины, представляете, не они
ко мне, а я к ним... Послушайте, если вы не торопитесь,
давайте зайдем вместе? Признаться, мой зять — тот
еще пенёк с ушами, не самое приятное знакомство для
такой интересной девушки, как вы, только моя дочь-
тупица могла на такое купиться, ха-ха, это стихи, ну
хоть блинов поедим, а?

ОЖ как могла вежливо отказалась: «Я тут по мами-
ным делам, срочно бегу обратно, спасибо-спасибо, в
другой раз» и, утратив всю свою решительность, отправилась ждать маршрутку до «Войковской».

«А ведь М.А. права абсолютно — пенёк и есть, — думала уныло ОЖ. — И вот почему некоторым идиотам везет — у них такие тёщи!»

И рассказывает теперь ОЖ эту нелепую историю подругам с досадой и завистью, хотя, если представить все возможные варианты развития событий (скажем, М.А. вошла бы в разгар расстановок точек над «i»), всё кончилось хорошо, а никак не иначе.

Зеленые трусы

Жила-была Одна Женщина (ОЖ), но тут не столько про нее речь, сколько про Одного Мужчину (ОМ), с которым она училась на журфаке в начале девяностых. Это был всем прекрасный молодой человек, поступивший в универ после армии и рабфака.

Он приехал из маленького городка Нижняя Салда, был штамповано красив — высок, синеглаз, густобров, белозуб и очень располагал к общению. Добрый, открытый, отзывчивый, обаятельный, и — как бы это внятней выразить — сразу было понятно, как он девственно чист и неопытен.

И запала на эту нетронутость центровая раскрасавица курса, и ОМ тоже влюбился по уши.

ОЖ и ОМ не то чтобы дружили, поэтому когда ОЖ сказали, что ОМ внезапно отчислился и пропал из поля зрения всех, кто с ним общался, она удивилась, но быстро забыла об этой информации — ей было не до того, она мучилась токсикозом, собираясь стать матерью-одиночкой, искала работу, переводилась на вечернее и т. д.

Прошло ровно десять лет, и раз в коридорах одного информационного агентства ОЖ и ОМ столкнулись нос к носу, принужденно засмеялись и пошли в кафе. ОМ за это время заматерел, забрутальнел, глаза его из синих превратились в свинцовые, он больше отмалчивался и неприятно кривился на щебетание ОЖ об общих знакомых.

Разговор не получался, и тогда ОЖ почувствовала, что он прям вот сидит и ждет вопроса о том, что же тогда-то случилось с ним, зачем он ушел из университета?

И ОМ рассказал.

Майским вечером возлюбленная девица внезапно пригласила ОМ домой, сказала: «Пойдем ко мне, моих нет дома». ОМ оробел страшно, но пошел. И случился с ним натуральный стресс сразу от всего — зеркального лифта, профессорской квартиры, гигантской библиотеки, высоких потолков, абрикосового унитаза и туалетной бумаги в тон... «Что я видел там, в своей Нижней Салде, ты понимаешь? Нет, куда тебе, «Масквааааа», ты ж тоже... столичная бэйба, белая кость, малиновая кровь!..»

(Воспоминания давались ОМ нелегко, ОЖ было приготовилась обижаться, но поняла, что он того даже не заметит, и продолжала слушать.)

Опытная барышня сразу взяла кавалера за живое и недвусмысленно подтолкнула к ванной. ОМ подчинился, стал лихорадочно сдирать с себя всё и вдруг оторопел, потому что на нем, как оказалось, в тот день были «зелёные семейные трусы до колен. Сатиновые. Бабушка мне пошила, я в них армию прошел».

ОМ понял, что он не может выйти к ней, столичной этуали, красавице и отличнице, «в этих кошмарных обносках». ОМ не нашел ничего лучшего, как запереться в ванной и не отвечать на вопросы, стуки, просьбы и угрозы барышни. Бедняга просидел в этой фисташковой ванной пять (!!!) часов.

«Когда она перестала умолять, стращать милицией и плакать, я услышал, как хлопнула дверь. Пулей вылетел из квартиры, это было уже под утро. Когда доехал до общаги, меня вырвало. Я заснул, а потом пил несколько дней».

Оскорбленная дева постаралась от души — ославила синеглазого нижнесалдинца с одной стороны насильником, с другой — импотентом, он не вынес пошлых вопросов сокурсников и забрал документы, пошел работать, так и не получив высшего образования...

ОМ еще выпил, ОЖ молчала.

Она хотела, конечно, спросить его, что мешало ему, ну, там, обернуться полотенцем или не оборачиваться, а просто выйти? Но потом подумала, что никогда не сможет представить себя на месте девственника, нечеловечески комплексующего от своей провинциальности перед уверенной столичной красоткой.

Говорить больше было не о чем, они не обменялись телефонами, попрощались и разошлись каждый в свою жизнь. ОЖ в общем пожалела ОМ, такого вот кислотно-озлобленного, но при этом не могла отделаться от мысли о том, что же та девушка передумала за эти пять часов, чего только ни вообразила, как боялась, как ругала себя, наверное, причем точно не зная, за что.

ОЖ пришла к выводу, что сколько бы причин такого поведения она ни придумала, среди них точно не было зеленых трусов. И никто бы никогда не додумался.

С тех пор ОЖ, пытаясь объяснить кому-либо бессмысленность додумывания за других и анализирования причин чьих бы то ни было поступков, рассказывает эту историю про зеленые трусы, которая могла закончиться только так, как закончилась, и никак иначе.

Красота в глазах смотрящего

Жила-была Одна Малопривлекательная Женщина (ОЖ), и не было у нее никакой личной жизни, ну совсем никакой и никогда.

Росла ОЖ при матери-одиночке, не блещущей красотой и обаянием. Она выучила дочь печатать на машинке и верить, что ей, такой вот богом обиженной (баскетбольно-гренадерский рост, неприличный для девушки огромный размер ступней и кистей рук, близко поставленные светлые глаза, смешной при таких габаритах едва второй размер лифчика, несерьезно крохотный на широкой физиономии носик на сторону и пони-хвостный причесон), имеет смысл принять как данность — мужа не будет. А если кто и позарится, то не верить и пресекать, и в жизни ни на кого не полагаться, кроме как на себя.

Мать вообще была строга и последовательна, и когда случились у нее первые признаки бескомпромиссно тяжелой болезни, приняла дозу снотворного и категорически запретила вызывать «скорую», аккуратно выложив на видное место записку с «прошу никого не винить». ОЖ горевала, но очень тускло и глубоко — в сущности, ей не с кем было обсудить маму, ее болезнь, свое чувство вины.

Она отмеряла год за годом, исправно навещая могилу единственного родного человека. Вот на кладбище-то и настигла ОЖ судьба в виде человека по имени Юсуф. Был он наполовину турком, специалистом по прокладке труб, и пришел с экскурсией: по этому старому кладбищу часто водили желающих поглядеть на могилы знаменитых артистов и писателей.

Юсуф был потрясен, увидав ОЖ — такую статную, рослую, широченную в лодыжках и кистях даму, утирающую уголки маленьких глаз клетчатым носовым платком. Он подошел и, глядя сильно снизу вверх, сказал от всей души:

Красота в глазах смотрящего

— Ты такой красивый госпожа!..

ОЖ от неожиданности переступила гигантскими ногами в мужских ботинках сорок пятого размера и отдавила Юсуфу плюсны. Он мужественно сдержал вопль и продолжал смотреть на ОЖ с искренним восторгом. Затем попросил товарища, который лучше говорил по-русски, взять у «госпожи» телефон.

Чтобы долго не томить, ибо сказке конец, скажу, что ОЖ проживает теперь в Турции, недалеко от моря и далеко от известных туристических маршрутов. У нее есть домик, такой зефирно-розовый, с садиком и белым креслом-качалкой, где она сидит летом и что-нибудь вышивает. Муж ее обожает до обморока и покупает лукум только развесной, а не в упаковках. Особенно она любит шоколадный. И каждый день Юсуф говорит ей:

— Спасибо твоей маме, мир праху ее, иначе бы я никогда тебя не встретил, моя госпожа.

ОЖ иногда украдкой глядит в зеркало и исполняется гордости: ее, вот такую вот, любят и нежат, а так бывает только в сказках, где все заканчивается хорошо, а как же иначе.

СОДЕРЖАНИЕ

Серия «Легенда русского Интернета»

16+

Составитель
Марта Кетро

ОДНА ЖЕНЩИНА, ОДИН МУЖЧИНА

Сборник рассказов

Редакционно-издательская группа «Жанры»

Зав. группой *М.С. Сергеева*
Ответственный за выпуск *Т.Н. Захарова*
Технический редактор *Т.П. Тимошина*
Компьютерная верстка *Е.М. Илюшиной*

ООО «Издательство АСТ»
127006, г. Москва, ул. Садовая-Триумфальная,
д. 16, стр. 3, пом. 1, комн. 3

Отпечатано с готовых файлов заказчика
в ОАО «Первая Образцовая типография»,
филиал «УЛЬЯНОВСКИЙ ДОМ ПЕЧАТИ»
432980, г. Ульяновск, ул. Гончарова, 14

Читайте книги Марты Кетро!

Марта Кетро — Женщины и коты

Мужчины и кошки

МАРТА КЕТРО — ГОРЬКИЙ ШОКОЛАД КНИГА УТЕШЕНИЙ

Марта Кетро — **Умная, как цветок**

МАРТА · КЕТРО

ГОСПОЖА · ЯБЛОК

Новая книга Марты Кетро — причудливая смесь горького и смешного, она способна изменить сознание не хуже кальвадоса, но гарантирует отсутствие похмелья. Останется лёгкое яблочное послевкусие и воспоминание о чём-то хорошем, что пришло в вашу жизнь вместе с «Госпожой яблок».